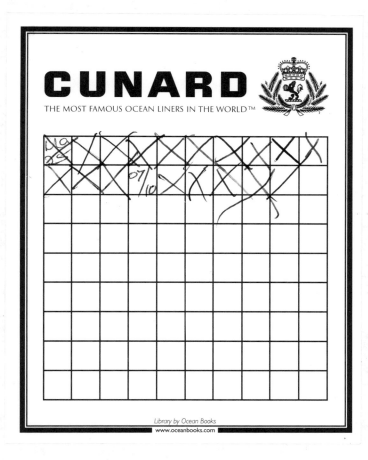

Ramiro A. Calle

El arte de vivir

mr · ediciones martínez roca

Diseño de cubierta: Compañía
Fotografía: Getty Images

© 2003, Ramiro A. Calle
© 2003, Ediciones Martínez Roca, S. A.
Diagonal, 662-664, 08034 Barcelona
Primera edición: enero de 2003
ISBN: 84-270-2925-X
Depósito legal: B. 16-2003
Fotocomposición: Víctor Igual, S. L.
Impresión: A & M Gràfic, S. L.
Encuadernación: Encuadernaciones Roma, S. L.

Impreso en España - Printed in Spain

Prólogo

Si no fuera porque el prestigioso nombre de Ramiro Calle avala más que suficientemente la calidad de un libro como el que ahora tiene el lector entre sus manos, estarían justificadas las suspicacias de quien, en más de una ocasión, habrá visto defraudadas sus expectativas ante un título similar o análogo al que tengo aquí el privilegio de presentar. En definitiva, la proliferación de obras, e incluso de colecciones, de editoriales de mayor o menor renombre, que bajo epígrafes como los de autorrealización, filosofía, psicología, esoterismo y demás inundan el mercado en la actualidad, nos ponen de forma inequívoca en guardia ante una obra que anuncia en su portada que va a tratar de un tópico como es el caso de ésta. A no ser que el grado de desasosiego vital que nos invada en un determinado momento de nuestra existencia sea más que elevado y nos veamos impelidos a aferrarnos a cualquier resquicio espiritual que se nos ponga por delante. Surge, pues, la inevitable pregunta: ¿otra obra sobre «el arte de vivir»? Me van a permitir que, de momento, no aborde directamente esta cuestión y que me centre, de manera un tanto digresiva, en una suerte de concisas reflexiones que, en mi modesta opinión, vienen al caso.

Es sin duda lamentable que tantos opúsculos degradantes —y me atrevería a decir que incluso fraudulentos—, compuestos por taxonomías facilonas de «recetas», misceláneas acerca de este importantísimo tema, hayan copado las estanterías de las librerías en estos tiempos, coincidentes con los estertores de la vorágine finisecular y milenarista. La copiosa producción de inservible ganga de dudoso gusto literario y de escaso fuste filosófico o espiritual, no ha hecho sino ocultar a la visión del desengañado lector la dorada veta que, procelosa y apenas explorada, se esconde bajo la montaña de libros sensacionalistas que, sin ningún tipo de pudor, prometen la felicidad y la calidad de vida interior sin el menor esfuerzo por nuestra parte. Se asemejan mucho a los métodos que pretenden enseñar un idioma o a tocar un instrumento musical en intervalos cronológicos milagrosamente cortos (créanme: por propia experiencia —y de ahí la utilización del ejemplo—, les garantizo que la consecución de ambos menesteres lleva bastante más tiempo que los diez días que, frívolamente, alguno de los métodos anuncia de manera pomposa para captar la atención del lector incauto, desinformado o, en última instancia, perezoso). Hago hincapié en que todo en la vida exige esfuerzo, y nuestro desarrollo interior no iba a ser una excepción, antes al contrario; esta certeza es recurrente y reiterada en las obras que Ramiro Calle ha dedicado a una cuestión tan trascendental.

Porque lo cierto es que el citado amontonamiento de volúmenes que versan sobre el tópico genérico del arte de vivir, obedece indudablemente a unas causas que vienen a reflejar la mentalidad y el momento actuales en Occidente. En nuestro contexto de (aparente) bienestar social, económico y cultural, sobre todo si nos comparamos con el malhadado Tercer Mundo, nos damos cuenta de que muchas personas poseen todo lo que necesitan para llevar una existencia feliz y despreocupada: nuestros hogares contienen los muebles y electrodomésticos que nos hacen la vida más cómoda y confortable; las empresas e instituciones están «a la última» del desarrollo tecnológico; los gobiernos —tan parecidos unos a otros que resulta cuestión de insípidos matices distinguirlos— nos envuelven en su tela de araña retórica e ideológica y nos persuaden de que vivimos en el mejor de los mundos posibles. Compramos, consumimos y, cuando surge en nosotros el mínimo atisbo de depresión, volvemos a cambiar la cocina todavía útil por otra nueva, el coche aún en buen estado por otro de último modelo, el vídeo por un DVD, o en cuanto tenemos la posibilidad optamos por unas vacaciones en Cancún (por mentar un lugar paradigmático; que nadie se sienta en exceso aludido). Por otra parte, en su justa medida, nada hay de malo en aprovechar las ventajas que, a quien pueda acceder a él, aporta lo que se ha dado en llamar «un buen nivel de vida» y un poder adquisitivo alto. He aquí un mundo maravilloso, un *wonderland*.

No tenemos derecho a quejarnos, nos dicen. Y sin embargo... (porque como sabemos, existen «peros», «sin embargos», «no obstantes» y otras conjunciones adversativas para contrarrestar la asertividad de nuestro discurso), sin embargo, como ocurre en el País de las Maravillas que inventara el conspicuo Lewis Carroll, la cálida felicidad anunciada a bombo y platillo es una falacia. En nuestro entorno inmediato —no hace falta irse a Calcuta o a Etiopía— habita la injusticia, la degradación humana en sus diferentes formas, y se multiplican como por ensalmo otras cárceles del alma, ya sean de carácter interno o externo al individuo concreto. Incluso aunque hagamos acopio de todo tipo de material al uso, aparecen las grietas y fisuras de un sistema que necesita constantemente de nuevos alicientes en una carrera sin fin hacia la inalcanzable «satisfacción». Nunca Occidente ha estado mejor desde una perspectiva tecnológica y, sin embargo (otra vez la dichosa conjunción que nos atormenta), subsisten dudas más que razonables acerca de nuestro bienestar ético y espiritual. En otro orden de cosas, podríamos aplicar aquí la celebérrima frase de Hamlet a Horacio: «Hay más cosas en el cielo y en la tierra / de las que tu filosofía pudo inventar».

Por decirlo tajantemente y sin más rodeos: si se escriben y se consumen tantos libros acerca del «arte de vivir» es porque la mayoría no hemos experimentado ni remotamente qué es esto. Claro está que es positivo al menos preocuparse por el tema: la senda del desarrollo interior no tiene metas, sino que, en esencia, siempre es un camino y, como dijo Antonio Machado, «se hace camino al andar». Querer indagar acerca de la cuestión capital del «arte de vivir» es ya de por sí estar inmerso en la consecución del objetivo más significativo al que pueda aspirar el ser humano; supone agachar con humildad la cerviz y reconocer que, pese a que creemos poseerlo todo, nada tenemos, porque no nos tenemos siquiera a nosotros mismos. Somos reacios a atisbar siquiera la profundidad de nuestro abismo interno, donde subyace aquello que de verdad constituye nuestro ser más personal e intransferible. Intuimos que la felicidad genuina es algo muy distinto a las riquezas, a la proyección social y a la consideración profesional, por muy importantes que éstas sean, y por muy beneficiosas que puedan resultar si sabemos utilizarlas como instrumentos para la finalidad primordial de ese término tan en boga y a veces tan equívoco y malinterpretado como es la «autorrealización».

Por supuesto, nuestra pretensión de progresar en el difícil arte de vivir no es una cuestión que haya surgido ahora (los seres humanos, en nuestro sempiterno narcisismo, tendemos siempre a creer en la originalidad inigualable de nuestro ego y de nuestra época histórica). Podemos haber alcanzado cotas elevadas de saber científico o tecnológico —lo que, por otra parte, ha desencadenado una crisis del conocimiento humanístico, algo de lo que nos arrepentiremos pronto—, pero desde la aparición en la tierra de lo que Jonathan Swift, el genial autor de *Los viajes de Gulliver*, denominó *animal rationis capax* («animal capaz de razonar», frente a la antropocéntrica y extendida descripción del hombre como *animal rationale* o «animal racional»), y a excepción de escasos iluminados de la historia, a los que fray Luis de León se refería acertadamente como «los pocos sabios que en el mundo han sido», la progresión interior del común de los seres humanos es cero. Por mucha evolución que pueda haber tenido lugar en la fisonomía y en la estructura biológica de la mente, en el desarrollo del ser genuino no somos en casi nada diferentes al Neandertal, que sepamos. La confusión, la avidez y el odio que, de acuerdo a Buda, nos abotargan y nos embriagan con tintes amargos, provienen de la noche de los tiempos, de los primitivos escarceos de la especie por la superficie del planeta que hollamos.

A lo largo y ancho de la historia del pensamiento son numerosísimos los autores que se han ocupado de determinar, desde un punto de vista filosófico, religioso o literario, lo que consideraban las reglas correctas para el arte de la vida. Consignar aquí una breve taxonomía en la que se incluyan los nombres señeros sería una tarea compleja al mismo tiempo que injusta, porque además nos veríamos obligados a tomar en consideración no sólo ejemplos occidentales, sino también orientales, contexto en el que contamos con grandes sabios que se han ocupado de la cuestión. Como experto orientalista que es, Ramiro Calle ya ha dedicado numerosas obras a los más destacados maestros de la India, lugar en el que la sabiduría del yoga y técnicas afines de autoconocimiento han propiciado un incremento del número de personas que se han sumergido con todas las consecuencias en la ardua aventura de vivir con auténtica consciencia. Se trata de fijar las raíces existenciales en el aquí y ahora, el *hic* y el *nunc* de los latinos, ese presente fugaz que es lo único que tenemos, y no volver el rostro hacia el pasado que ya no es, o hacia el futuro que nunca podremos controlar, por mucho que nos afanemos en ello. ¿Por qué los hombres nos empeñamos en planificar hasta las últimas consecuencias lo que está fuera de nuestro poder?

De los escritos de los más preclaros filósofos y poetas de Occidente que se han ocupado del arte de vivir podemos inferir algunas constantes que son —no podría acontecer de otra manera— análogas a las practicadas y definidas por los sabios de Oriente. En sus diferentes vertientes, la mayoría de ellos subraya, entre otras cosas, la necesidad de conocerse a sí mismo (recordemos el *gnózi seautón*, el aforismo que presidía la entrada al Oráculo de Delfos y que Sócrates hizo suyo como máxima de vida); la necesidad de contentarse con lo que uno tiene sin aferrarse a nada ni a nadie en concreto, pues todo lo que hay en la naturaleza es, como nosotros, perecedero y mutable (destaca así el tópico clásico de la *aurea mediocritas*, con el ejemplo enfático del *beatus ille* horaciano); la necesidad de mantener un justo medio y sufrir los avatares de la fortuna con enaltecedora resignación, sabiendo tomar y soltar según las ocasiones («Coge sin orgullo, abandona sin esfuerzo», diría el emperador filósofo Marco Aurelio); la necesidad de contemplar la muerte sin resistirse a ella, entendida como algo inevitable, consecuencia directa e inexorable de la propia vida («Sé serio en dejarte ir», subrayaba también Marco Aurelio); la necesidad de apartarse lo máximo posible del ejercicio de la política y de todo aquello que implique la posibilidad de corromperse por el poder o las riquezas; la necesidad de estar de buen humor, de parar la confusión y el fárrago de la mente, para evitar perturbaciones innecesarias; y, ante todo, la necesidad de mantener una actitud serena y ecuánime. Unos buscarían esa serenidad en Dios (como los místicos y ascetas), otros en el amor, otros en la búsqueda de un ideal ético y/o estético (como muchos filósofos clásicos y helenísticos), otros en el contacto con la naturaleza, otros en la introspección del propio yo, que es quizá la vía que presenta más atajos, por muy empinados y escarpados que éstos sean.

Con referencia a esta última idea, cabe reseñar aquí las palabras con las que la Filosofía, convertida en personaje alegórico, increpa a Boecio en su inmortal *De Consolatione Philosophiae*: «¿Por qué, pues, mortales, buscáis fuera una felicidad que se halla dentro de vosotros? El error y la ignorancia os ofuscan». En realidad, y aunque parezca una perogrullada, no podemos prescindir de nosotros mismos en la persecución de una vida más plena, pues nadie puede vivir por nosotros ni nadie puede enseñarnos a sentir lo que está más allá de la pura teoría: es fundamental, por lo tanto, que pongamos en práctica las sabias directrices que nos han legado los que han reflexionado y, ante todo, los que han experimentado por sí mismos y han interiorizado los mecanismos auténticos del arte de vivir. Sólo poniendo nuestro habitáculo interior sobre la sólida roca (metáfora antiquísima que utilizan Buda y Jesús), podremos alcanzar una actitud proclive a avanzar en el difícil camino de la vida, que en no pocas ocasiones se basa en lo más sencillo. En este sentido, de nuevo vienen a colación los versos de Boecio, que recoge, con matices distintos de los de Buda o Cristo, la alegoría de la mente como edificio sólidamente fundamentado en un ideal de vida humilde y sereno:

Quien, prudente, desea fundar
su hogar sobre sólidos cimientos
y no quiere verse abatido
por los fuertes vientos del Euro,
evite con decisión el amenazante océano,
aléjese de las altas cimas,
azotadas por el ímpetu del Austro,
y las arenas movedizas que son reacias a aguantar
el peso de la casa.
Huya la aventura peligrosa
de los lugares que son gratos a la vista,
y fije su hogar sobre la humilde roca.
Aunque soplen con furia los vientos

esparciendo el mar de ruinas,
tú, alejado y en paz,
confiado y dichoso dentro de tus sólidas paredes,
llevarás una existencia serena
burlándote de la iracundia del viento.

Y ahora sólo resta retornar a la pregunta que nos hacíamos al comienzo de estas breves disquisiciones. ¿Otro libro más acerca del arte de vivir? No, ni mucho menos. La sensibilidad y los amplios conocimientos de Ramiro Calle, despojados de vacua erudición, se ponen de manifiesto en las páginas que siguen, y sumergen al lector no tanto en la pura reflexión teórica como en la arquitectura del sentimiento. Un sentimiento que se interioriza a través de los apólogos, anécdotas, historias y parábolas que componen esta obra de variadas raíces y fuentes que se hunden y se incardinan en el hondo terreno que conecta con los rincones de nuestro propio ser. Para sugerirnos —más que instarnos o darnos— reglas fijas, y para seguir el singular proceso retórico que ya cultivaron los más preclaros maestros espirituales de antaño. Indaguemos sin ambages en la enseñanza que destila este crisol, esta colección de ejemplos impregnada de sabiduría sencilla, que es a veces la más complicada de transmitir, aunque parezca justo lo contrario.

En este libro de Ramiro Calle, como en el conjunto de su vasta obra, y haciendo mío el verso de Francisco Martínez de la Rosa, podría decirse que «todo convida a meditar». Meditemos, por lo tanto, sobre un tema que a todos nos importa; pues como escribiera el dramaturgo latino Terencio, «*Humanus sum e nihil humani a me alienum puto*» («Soy humano, y nada humano considero ajeno a mí»); y ningún tópico puede ser más humano que hacer de la vida un arte en pos de lograr un mayor desarrollo interior.

Antonio Ballesteros González

Introducción

¿Hay un arte de vivir o incluso una técnica de vida? ¿Se puede aprender a vivir? ¿Puede convertirse la vida misma en un aprendizaje? ¿Puede uno vivir en lugar de dejarse vivir? ¿Se puede convertir la vida en una senda de claridad y compasión, no de ofuscación y hostilidad? ¿Puede una persona aprovechar su vida para humanizarse y desarrollar así sus mejores potenciales humanos? El autor de esta obra responde afirmativamente a todas estas preguntas y tiene la plena certeza de que son muchas las personas que pueden cultivar las actitudes necesarias y practicar los métodos oportunos no sólo para vivir más atenta, lúcida, creativa y constructivamente, sino para convertir la vida en el arte del noble vivir, bien diferente a vivir actuando de forma mecánica, con ofuscación, avidez y odio. Mediante el arte del noble vivir, la vida se convierte en una vía que conduce a desarrollar y desplegar lo mejor de uno mismo, en beneficio propio y ajeno, y la persona se capacita para superar todas las tendencias neuróticas y destructivas, así pudiendo generar lazos y vínculos afectivos de forma fecunda y armónica con uno mismo y todos los demás. Son lazos y vínculos basados en la veracidad, el respeto, la mutua ayuda, la tolerancia y las tendencias más cooperantes y constructivas, destinados a favorecer el progreso no sólo exterior, sino también interior o espiritual de uno mismo y los demás.

En una época en la que tanto imperan el desamor, la hostilidad, la desenfrenada codicia y la falsedad, se hace urgente e imprescindible para muchas personas lo suficientemente sensibles encontrar pautas de referencia y orientación, así como métodos de autodesarrollo solventes que reorganicen psíquicamente la vida, para que ésta adquiera una dimensión más sana y equilibrada. De esa manera se puede mantener una relación más armónica con los demás, sin que ello entrañe en absoluto pusilanimidad o falta de firmeza, sino que, al contrario, la ponga en contacto con su propia esencia, desde donde pueda vivir con más plenitud, sabiduría, consciencia y compasión. Nadie puede negar que hay muchas personas (si así se las puede denominar) aviesas y malévolas, cuyas tendencias e intenciones destructivas se despliegan para denigrar, explotar y dañar a las demás criaturas, y que incluso son refractarias en su mayoría a cualquier intento de mejora o de estar en armonía; pero, por fortuna, son muchas también las personas —verdaderamente personas— que sienten la necesidad de mejorar, de conocerse y orientarse hacia modos de vida más nobles, cooperantes, creativos y realmente constructivos. Con este tipo de «verdaderas» personas quiero compartir las ideas de esta obra, tercer volumen de mi última trilogía,[1] y que contiene una valiosa información que se inspira y entronca con lo mejor de las sabidurías de Oriente y Occidente.

Un ser humano, para realizarse, es decir, para convertir en real lo más real de sí mismo, su propia identidad o ser, puede cultivarse en dos sentidos o direcciones. Ambos son complementarios y fueron investigados hace ya milenios por los primeros yoguis. Uno consiste en recuperar la propia consciencia clara o mente iluminada, la cual reside en potencia en todo ser

---

1. *El libro de la armonía* y *El libro de la paciencia y el equilibrio*, volúmenes 1 y 2 de la trilogía, publicados por Martínez Roca.

humano, pero que hay que desarrollar y desplegar; el otro es ir poniendo todos los medios hábiles, actitudes y condiciones para cultivarse interiormente, o sea, para desarrollarse, madurar y liberar la mente de la ignorancia básica. Nada nos tiene por qué hacer suponer, sino al contrario, que la evolución de la consciencia está finalizada. La consciencia del denominado «ser humano» —aunque mejor sería tenernos por «homoanimales»— se encuentra en un estado de semievolución, pero la persona sí puede realizar un trabajo interior para, conscientemente, ir acelerando la evolución de su consciencia y obtener así una visión más cabal y, en consecuencia, liberadora. Entonces la vida adquiere una relevancia especial y un confortador sentido o propósito, adquiere la forma de un difícil viaje en el que hay que poner al descubierto lo mejor de uno mismo en beneficio propio y ajeno.

El ser humano posee «impregnaciones» subconscientes sanas e insanas, que a su vez generan tendencias constructivas y destructivas respectivamente; asimismo, y como somos un producto o resultado de la inmensa y desenfrenada evolución de la especie, acarreamos muchos códigos y, por otro lado, como entidades psicosociales, muchos condicionamientos psíquicos, patrones y modelos. Todo ello nos limita y nos roba libertad interior; pero si la persona posee un entendimiento claro, se percatará de que puede ayudarse y cooperar en su autodesarrollo y autorrealización, superar automatismos, condicionamientos y patrones, aproximarse mucho más a su centro esencial y desplegar así factores internos de autoliberación. De ese modo, la persona en el difícil, prodigioso e incomprensible (racionalmente) viaje de la existencia, no sólo tratará de obtener logros y metas en el exterior (lo que está muy bien siempre que no dañe a otros seres), sino también en su propio universo interior. Así, los logros internos se verán correspondidos por los internos y, una vez cubiertas las necesidades básicas, las personas con sensibilidades espirituales (que nada tienen que ver con la religión entendida como institución o dogma) tratarán de ir cubriendo las aspiraciones y necesidades artísticas, sociales y místicas.

En la medida en que cada uno va obteniendo lo mejor de sí mismo, supera sus pulsiones destructivas y alienta las constructivas, puede compartir sus tesoros internos con las otras criaturas y tallar vínculos afectivos sanos, creativos y verdaderamente cooperantes, desde la propia realidad esencial y más allá de las tendencias exclusivamente egocéntricas y posesivas, que en el peor de los casos son manipuladoras y lesivas. Cuando una persona mejora su calidad de vida anímica y sigue la senda del arte del noble vivir, está capacitada para ver y atender las necesidades de los demás, en tanto que el que está prendido en su densa y mórbida burocracia egocéntrica no tiene ojos ni siquiera para sí mismo y pone todas sus energías en la afirmación neurótica, y a veces incluso esquizoide, de su ego. Una persona así, sólo retroalimenta su soberbia, vanidad, afán de poder y de aparentar, y vive de espaldas por completo tanto a sus necesidades de realización como a las cuitas de los otros seres con sentimientos. En ese caso, el viaje de la vida se convierte en voracidad, posesión y desamor; se pierde la preciosa oportunidad de crecer, desarrollarse y humanizarse.

En todo ser humano, en lo más profundo de su mente, hay raíces sanas e insanas, y por tanto tendencias constructivas y también destructivas. La persona puede tratar de potenciar lo más sano y creativo de sí misma, o bien abandonarse a lo más insano y destructivo, según viva correcta o incorrectamente. Para no vivir de acuerdo a modelos sociales, sino a sus propios anhelos de perfeccionamiento, evolución y maduración, tiene que cultivarse anímica y espiritualmente, comportarse y poner medios para llevar a cabo una evolución interior, que supere los obstáculos e impedimentos que se encuentran dentro y fuera de uno mismo. Las personas que desplieguen sus estados mentales constructivos estarán en disponibilidad de relacionarse más amorosamente que aquellas que, condicionadas por sus estados mentales perniciosos, tienden a relacionarse desde tendencias autoritarias, agresivas, despreciativas o anestesiadas afectivamente. Desde la autoaceptación consciente y sin falsos triunfalismos ni imágenes idealizadas, se puede, pacientemente, ir dedicando parte de la energía a enriquecerse psicológicamente, madurar emocionalmente, autoconocerse y realizarse en la medida de las posibilidades de cada uno. Se trata de apuntalar actitudes y tendencias laudables y constructivas, para convertir la vida en un «escenario» donde trabajar con el objeto de estimular nuestras mejores fuerzas anímicas.

En esta vía del autoconocimiento y la autorrealización que representa un verdadero arte de vivir, de vivir noble y correctamente en beneficio propio y ajeno, habrá también retrocesos aparentes y, desde luego, momentos de desfallecimiento, incertidumbre e incluso gran desaliento. Pero en ese mismo arte del noble vivir se volverán a hallar energías para seguir extrayendo de uno mismo y de la vida lo mejor. De esa forma, se podrá conseguir que los impulsos y anhelos interiores se dirijan hacia lo más auténtico, pleno y fecundo; se podrán superar marcadas tendencias de aferramiento y odio que tanto frenan la evolución de la consciencia y que crean un gran malestar personal y social.

En la medida en que la persona va «siéndose» a sí misma («serse» es la manera de vivir desde el centro a la periferia) y no se deja «colorear» tanto por condicionamientos internos o externos, se crea un nuevo sentido de libertad interior y una manera mucho más fértil de relacionarse con las demás criaturas. Es necesario ejercitarse para potenciar lo más noble de uno mismo, así como para desarrollar un límpido entendimiento, o sagaz discernimiento, que permita poner énfasis en lo verdaderamente esencial, sin extraviarse en lo trivial, accesorio y banal hasta el fin de los días. La persona que sigue la senda del arte del noble vivir y que pone en marcha sus mejores intenciones y actitudes realmente humanas —y no tan sólo homoanimales—, hallará en sí misma una mejor capacidad de resistencia para mantener el equilibrio y la armonía a pesar de las vicisitudes, problemas e incluso injusticias que la vida le depare. Puesto que cifrará sus intereses no sólo en metas mundanales, sino también psicológicas y espirituales.

A lo largo de esta obra iremos investigando sobre lo que representa el arte del noble vivir, o del vivir correcta y generosamente, e iremos haciendo referencia a las actitudes y ejercicios que pueden ayudarnos a madurar interiormente, a que seamos más humanos y a relacionarnos desde el ser y no desde la máscara de la personalidad. El método más antiguo del orbe para convertir la vida en un instrumento liberatorio es el yoga, que con razón ha sido denominado desde antaño «la lámpara», pues es una antorcha que ilumina nuestro viaje hacia el interior y hacia el exterior. Sin embargo, el yoga no es más que una disciplina aséptica y adogmática, un entrenamiento para actualizar las mejores potencialidades de uno mismo y obtener un notable equilibrio psicosomático, para conseguir, en fin, que, en la medida de lo posible, el cuerpo y la mente colaboren en la larga aunque hermosa marcha hacia la autorrealización.

RAMIRO CALLE
Director del centro de yoga SHADAK

En la escuela

Un maestro de escuela se reunió con sus discípulos, era un grupo de adolescentes de corta edad, el primer día de clase. El maestro fue preguntando a cada niño qué quería ser de mayor: uno contestó que abogado, otro que médico, otro que arquitecto, otro que ingeniero, y así sucesivamente. Cuando le preguntó al último niño:

—A ver, amiguito, ¿y tú qué quieres ser?

El niño repuso:

—Ser.

Comentario

La mayor grandeza en la vida de un ser humano es ser uno mismo. Siempre estamos deseando ser esto o aquello, llegar aquí o allá, conseguir una u otra cosa, pero perdemos de vista la que debería ser la prioridad más insobornable de nuestras vidas: convertirnos en lo que nunca hemos dejado de ser, nosotros mismos. A menudo nos preguntamos muchas cosas, pero no nos preguntamos por el que pregunta; dejamos que los acontecimientos nos afecten, pero no indagamos en aquel o aquello que es capaz de afectar. Una cosa es ser esto o aquello, otra es ser, y otra aún serse. En una sociedad donde impera el afán de afirmar el ego y desplegar el poder y la apariencia ante los otros, todo el acento y la energía se ponen a menudo y de manera exclusiva en ser esto o aquello, pero no en ser uno mismo a pesar de esto o aquello. Así se desplaza el propio centro, se vive en la periferia y no en el núcleo, en lo adquirido y no en lo real, en la personalidad y no en la esencia. Pero a la larga este «montaje» hace aguas por algún lado, y la persona sigue acarreando penosamente *ad infinitum* su sentimiento neurótico de soledad, su inmensa insatisfacción, sus recelos e incertidumbres, sus tendencias neuróticas. Y percibe, por mucho que engañe a los demás o trate de engañarse a sí misma, que la vanidad, el compulsivo anhelo de poseer, aparentar y conseguir metas mundanas no coopera en absoluto en la madurez emocional y la evolución de la consciencia.

Ojalá cada día aumenten los intrépidos adolescentes, y por tanto adultos, como el de la anterior narración, que no sólo valoran las conquistas hacia el exterior, sino que las complementan con logros de su universo interior. De esa forma se desplazan de la periferia al centro y cultivan relaciones genuinas con las demás criaturas. De ser a ser, de serse a serse.

La vida de cada día

Un discípulo le pregunta a su mentor:

—Maestro, ¿dónde está la verdad?

—En la vida de cada día.

—Yo no logro ver verdad alguna en la vida de cada día —replica el discípulo.

Y el maestro concluye:

—Ésa es la diferencia, que unos la ven y otros no.

Comentario

La verdad está en la vida de cada día; el autodesarrollo se emprende en las actividades cotidianas y la relación con los demás; la senda del autoconocimiento se lleva a cabo en cada momento y circunstancia mediante la autovigilancia y la observación de las propias intenciones y reacciones. Cada uno tiene que bregar con las circunstancias que le van surgiendo, e incluso utilizarlas para su propia mejora, mediante una actitud basada en:

- una atención más vigilante;
- ecuanimidad;
- sosiego;
- reacciones conscientes y reguladas;

- esfuerzo consciente para corregir y rectificar las conductas verbales y actos nocivos.

Como decía el sabio Ramana Maharshi, a lo único que hay que renunciar es a la ofuscación de la mente y al afán de posesion. En la vida cotidiana hay que aprender a bruñir la consciencia y recobrar el equilibrio interior, lo cual se puede hacer en cualquier momento y lugar. Es en la vida diaria donde puede y debe desplegarse la palabra veraz y amable, la afectividad sana que origina lazos genuinos, el carácter firme pero cordial, el correcto sustentamiento (que evita apoyarse en oficios o trabajos que dañan a otras criaturas o a nosotros mismos), el amor consciente y más desinteresado, y la visión cabal, para que el proceder sea más intachable.

Liberación

—Maestro, ¿cómo puede uno liberarse?
—¿Quién te tiene atado?
—Nadie.
—Entonces, ¿de qué quieres liberarte?

Comentario

La mente posee una gran atadura: la mente misma. Muchas veces la mente es «mentira» y nos embauca, engaña, ofusca y esclaviza. Está en la naturaleza de la mente pequeña (egocéntrica) dispersarse, interpretar falazmente y dejarse poseer por estados de avidez y ofuscación, como está en la naturaleza de la mente grande (transpersonal) la quietud, la apertura y la claridad. En el arte del noble vivir es absolutamente necesario ir construyendo una mente más armónica, y en ese sentido habrá que poner medios para:

- conocerla;
- saber distanciarse de ella;
- convertirla en amiga, puesto que con frecuencia se muestra como enemiga;
- gobernarla y transformarla;

- suscitar y desplegar en su seno estados mentales sanos y constructivos como ecuanimidad, compasión, alegría, equilibrio, concentración, benevolencia, paciencia, afecto desinteresado...;
- desprenderla de estados mentales insanos y destructivos como ofuscación, avidez, odio, desasosiego, pereza...;
- transformar sus fuerzas hostiles y regresivas en cordiales y evolutivas;
- superar los tres grandes grupos de frenos o trabas en la evolución de la consciencia: condicionamientos psíquicos (represiones, traumas, conductas aprendidas y todo lo que configura un subconsciente caótico y anárquico, que con sus hilos invisibles dominan a la persona); venenos emocionales (celos, vanidad, soberbia) y el apego a ideas y estrechos puntos de vista que dificultan o impiden la visión cabal y esclarecedora;
- ejercitarse para «descodificar» muchos códigos instintivos o pulsiones propias de la evolución de la especie, entre las que destaca el «instinto de muerte», es decir, la tendencia a destruir, que hay que eliminar con las fuerzas de autodesarrollo y plenitud.

A través del dominio de la mente podremos regular más sabiamente las palabras y los actos. Como declara el Dhammapada: «Los sabios se controlan en los actos, las palabras y los pensamientos. Verdaderamente se controlan bien».

La mente es el fundamento de todo y, por extensión, la sociedad y el mundo. Si no se mejora la calidad de vida mental, nunca se reformará la calidad de vida social. Para ello, el reformador debe reformar su mente; el revolucionario, revolucionarla; el dirigente, saber dirigirla.

La verdad

Durante meses un hombre estuvo viajando en busca de una enseñanza para encontrar la verdad. Cierto día llegó a un remoto monasterio y se entrevistó con el abad. Entonces le dijo:

—Venerable abad, he viajado salvando enormes dificultades para llegar hasta aquí y encontrar la verdad.

—¿Qué verdad quieres encontrar aquí? ¿Por qué andas vagando de un lado a otro y descuidas el valioso tesoro que se oculta en tu casa? Yo no tengo verdad alguna sobre la que instruirte. Dejas un tesoro y vienes hasta aquí. Nada tengo que entregarte.

Comentario

Se corre de aquí para allá, con compulsión y urgencia, y al final no se va a ninguna parte. Tanto se mira fuera de uno mismo que no se aprecia lo que está al alcance ni lo que de hermoso se puede desplegar en el propio interior. De tanto buscar no se encuentra; por estar tan insatisfechos, no se halla reposo; persiguiendo metas, pasan desapercibidos los instantes de gloria; obsesionados por ir a otro lado, no se disfruta de allí donde se está; librando otras batallas, se dejan de librar las propias. Lo sencillo y lo simple poseen un mensaje y una belleza que no se aprecia por falta de sensibilidad y porque la mente siempre anhela compulsivamente lo que está más lejos o en otra parte. Si se escala una cima de cinco mil metros, entonces la mente se obsesiona por escalar una de seis mil y seguramente no toma lúcida consciencia de la plenitud que supone haber llegado a la de cinco mil. No hay peor atadura que la de las expectativas; no hay grillete más firme que el del apego a las ilusiones.

La senda hacia el arte del noble vivir no consiste en ligarse, sino en desligarse; no consiste en aferrarse, sino en soltarse; no estriba sólo en tomar y acaparar, sino en dejar ir y entregar. No seamos como aquel mendigo de Calcuta que estuvo durante cincuenta años pidiendo limosna en una esquina de la ciudad, sentado, sin saberlo, sobre un gran tesoro. Murió siendo un mendigo y sin haber sabido nunca que estaba sentado sobre un fabuloso tesoro. Para hallar la sabiduría, la gracia, no hay que ir más allá de uno mismo. Declaraba Ramana Maharshi: «La gracia está dentro de uno. Si estuviera fuera, sería inútil. La gracia es el símismo. No es algo que deba ser tomado de los demás. Lo único necesario es que se sepa que existe dentro de uno. La gracia siempre está aquí, pero no se manifiesta al estar oculta por la ignorancia».

Ahora

—Maestro, me gustaría encontrar un día la sabiduría.
—¡Estúpido! Si no la hallas ahora, no lo harás nunca.

Comentario

La sabiduría no está fuera, sino dentro. No es acumulación de datos ni información, sino percepción clara desde el centro de uno mismo. La información ocupa un lugar en nuestras vidas, pero la sabiduría es la que hace posible el arte del noble vivir. Se puede tener mucho conocimiento y, sin embargo, ser muy torpe en el comportamiento con las demás criaturas, herirlas innecesariamente, causarse daño a uno mismo y seguir arrastrando en la mente numerosos pensamientos nocivos. El conocimiento no transforma; en cambio la sabiduría es la enjundia de una vida más sencilla, alegre, clara y cooperante. No puede intercambiarse; es patrimonio de cada uno. Pero existen métodos para aplicarla, para que vaya impregnando el universo interior y la vida cotidiana, lo cual se consigue aquí y ahora, en cada momento concreto. Cada paso es la sabiduría misma si éste se da con consciencia, sosiego, ecuanimidad y generosidad. El camino es la cima; el proceso, la meta.

La sabiduría es muy inteligente, por eso es sabiduría. Es inteligencia primordial y como tal coopera de la misma manera en la senda hacia la liberación espiritual que en las más rutinarias actividades cotidianas, que dejan de serlo cuando están iluminadas con la sabiduría. La sabiduría no es sólo la búsqueda de lo inefable, sino que también procura a la consciencia el «toque» oportuno para relacionarse con los asuntos cotidianos y para conseguir una actitud más fluida y de menor resistencia en el terreno de la cotidianidad. Hay una gran diferencia entre el que habla y actúa con sabiduría y el que lo hace exento de la misma. Hasta en un gesto, en una caricia, en una sonrisa o al barrer la alcoba puede percibirse la sabiduría o la ausencia de ella.

No hay que esperar que la sabiduría llegue con la ancianidad. No llegará sólo por el hecho de aproximarse a los cien años, porque como declara el Dhammapada: «La mayoría de las personas envejecen como bueyes, ganando en kilos pero no en sabiduría». No se debe esperar que se alcance con la acumulación de infinidad de datos, ni siendo una enciclopedia andante, porque un exceso de información muy pronto se convierte en un denso y macilento nubarrón que oculta la sabiduría. Hay instantes de sabiduría si se establece conexión atenta y ecuánime con ella, si se vive muy alerta y sosegado, más allá de las ideas descontroladas. Decía un maestro: «No voy a ninguna parte, porque ya estoy». Y declaraba otro: «Cada vez que lavo mis prendas en las aguas claras del arroyo, me lleno de sabiduría». Se trata de poner los medios para que en cada momento ella visite nuestro hogar interior. Mediante la llama de la sabiduría se logra que la vida no sea sólo un fastidio, un desorden, un fiasco, un absurdo del absurdo, sino un arte, un instrumento de autorrealización. Sin bondad ni humanidad toda la información acumulada, todo el saber intelectual no sirven absolutamente para nada. El místico hindú Ramakrishna era taxativo: «Los llamados eruditos son grandilocuentes. Hablan de *Brahman*, de

Dios, del absoluto, del Gnana-yoga, de filosofía, de teología y otras cosas por el estilo. Pero son muy pocos los que han realizado las cosas de que hablan. Son secos y duros, y no hacen ningún bien».

El pez angustiado

Un pez tuvo una crisis de angustia existencial, por lo que acudió a visitar al pez rey y le preguntó:

—Señor, ¿dónde está el mar? ¿Qué es?

—¡Y tú me preguntas qué es el mar! El mar es ese lugar en el que puedes desenvolverte y ser feliz. Es lo que sientes, por donde te deslizas. El mar te envuelve por dentro y por fuera, ¡y me preguntas qué es el mar! Para ti sólo existe el mar, todo es mar, sólo hay mar, y en el mar puedes nadar, desarrollarte, ser dichoso.

Comentario

Lo esencial se nos escapa; lo más trivial nos aturde. Dando vueltas por la periferia, no nos desplazamos hacia el centro. Pero el centro está en uno mismo; por ello vivimos descentrados, desquiciados, fuera de nuestro eje, sin orden, sin claridad. Hay un juego de ilusiones dentro, en la mente de las personas, que los antiguos sabios de la India denominaron «maya». Es como una sustancia que adormece la consciencia, aturde el entendimiento y nos enreda en la tela de araña de lo más trivial o banal, para vivir de espaldas a lo esencial. Así la vida no se vive; se consume. Maya nos aturde, nos engaña, nos turba y nos perturba, nos imanta y nos hace ciegamente mecánicos. Se pierde de vista la esencia e incluso las que deberían ser las prioridades vitales, entre las cuales deben destacar:

- la paz interior;
- el equilibrio mental;
- la salud física mientras sea posible;
- la óptima relación con las demás criaturas.

Maya tiene un gran poder de confusión; distorsiona la percepción y el juicio, se enmascara en las inclinaciones desatadas de avidez y aversión, se recrea en la ignorancia básica y hace que la persona sea una marioneta inconsciente. Es la gran hurtadora de la lucidez, y acapara con su decorado de huecos sortilegios. Pero si sabemos descubrirla y conquistarla (se conquista en la mente y también en la medida en que se aprende a contener el pensamiento y a ver más cabalmente), la vida puede reportarnos valiosa energía, notable aprendizaje, y podemos servirnos de ella —en lugar de que ella se sirva de nosotros— para abrillantar la consciencia, desplegar la presencia de uno mismo y ejercer cierto dominio saludable sobre nosotros, para no dejarnos arrastrar por fuerzas hostiles, pudiendo realizar así el lado más fecundo de nuestro ser. Como dicen las más antiguas escrituras hindúes, hay un elemento sutil que nos pasa desapercibido y, empero, es el que hace posible todas las evoluciones de la materia y sus fenómenos, el que anima nuestra unidad psicosomática. Da igual cómo se llame ese elemento sutil, porque escapa a toda conceptualización y es irreductible a un pensamiento dual. Pero los hindúes le han llamado el ser y han declarado: «Como un grano de arroz, o un grano de cebada, o un grano de mijo, o el más pequeño gránulo de mijo, así está en el corazón este áureo ser; como una luz sin humo, es más grande que el cielo, más grande que el éter, más grande que la tierra, más grande que todas las cosas que existen; ése ser del espíritu es mi propio ser».

El mayor milagro

—Maestro, ¿cuál es el mayor milagro?

—¡Oh, querido mío! El mayor milagro es que puedas descubrir el milagro que se oculta aun en las cosas más simples, en los acontecimientos más nimios, en las situaciones más aparentemente rutinarias.

Comentario

Lo que para unos es rutina —e incluso tedio o pesadumbre—, para otros es estímulo y hasta gloria y bendición. Una vez me dijo un mentor: «Mira todo siempre como si fuera nuevo». Y otro declaraba: «Estrena cada mañana la mente». Existe un gran secreto para elevar lo rutinario al rango de sublime, así como para hacer de lo sublime algo cotidiano. Ése era el caso de un hombre que había dedicado toda su vida a pelar patatas y fruta. Pero ¡cómo las pelaba! Era el primor en sus manos y el éxtasis en su mente. La sabiduría pelando patatas. Nunca me cansaba de verle. Cada peladura era un arte en el arte de vivir. Jamás se aburría mientras, sin embargo, otros hacen mil cosas a lo largo del día y siempre están abrumados por el tedio y la insatisfacción. Me gustaría pelar patatas como ese hombre y tener su sabiduría en mis manos, mi cabeza y mi corazón... ¡Y pensar que no sabía leer!

En la vida hay que estar siempre dispuesto a renovar la capacidad de ánimo y asombro, estar realmente vivo y perceptivo, evitando así que la rutina nos venza y el ánimo se oxide. Cada día tiene su peso específico, y cada momento su propia consistencia, aunque sean fenómenos que se suceden sin parar. Según el grado de atención, intención, esmero y capacidad para convertir lo rutinario en espléndido, una persona puede conseguir que aquello que hace siempre sea una gloriosa novedad, por muchas veces que lo haya hecho. Debemos combinar armónicamente la actividad (sin agitación) y el reposo (sin holgazanería). Cuando hay que hacer, se hace, pero con consciencia y destreza; cuando no hay que hacer, la mente debe desconectar y reposar en el reparador silencio interior. Actuar fluidamente sin agitarse, tensarse, bloquearse es siempre renovador, máxime si también se sabe parar, calmarse, relajarse y hallar siquiera por unos instantes la quietud. El gran sabio Tilopa decía con respecto a aquietarse y permanecer meditativo: «No hagas nada con el cuerpo excepto relajarte; cierra firme la boca y observa el silencio; vacía la mente y no pienses en nada. Afloja tu cuerpo como un bambú hueco y desahógate».

La solución está en la mente

Un discípulo no terminaba de comprender. Cada vez que tenía una contrariedad se desesperaba, se abatía o incluso se hundía en el mayor desánimo. Sin embargo, su maestro, imperturbable, siempre le decía:

—Está bien, está bien.

El discípulo se preguntaba si al maestro nunca le sucedía nada desagradable o nunca padecía ninguna contrariedad, pues decía siempre con ánimo sosegado:

—Está bien, está bien.

Intrigado, el discípulo le preguntó un día:

—Pero ¿es que nunca te enfrentas a situaciones que no pueden ser resueltas? No comprendo por qué siempre dices «está bien, está bien», como si nada adverso te ocurriese nunca.

El maestro sonrió y dijo:

—Sí, sí, todo está bien.

—Pero ¿por qué? —preguntó soliviantado el discípulo.

—Porque cuando no puedo solucionar una situación en el exterior, la resuelvo dentro de mí, cambiando de actitud. Ningún ser humano puede controlar todas las circunstancias y eventos de la vida, pero sí puede aprender a controlar su actitud ante ellos. Por eso, para mí, todo está bien, todo está bien.

Comentario

Éste es un símil muy ilustrativo: la pulga va cabalgando a lomos de un colosal elefante y piensa: «A la derecha». Y el elefante, casualmente, gira a la derecha. Entonces la pulga piensa que lo controla. Instantes después el elefante estornuda... ¡y sale la pulga disparada! A menudo tenemos una visión tan esclerótica como la de esa pulga. Por eso somos tan prepotentes, arrogantes, fatuos, impacientes y... poco sabios. La mente rechaza lo que es y se angustia por lo que todavía no es, o se aferra a lo que es y teme perder; se preocupa y danza entre el pasado y el futuro, sin percibir límpida y creativamente el presente. Se cree con derecho a resentirse por todo, como si todo tuviera que estar especialmente dispuesto para complacerla. No sabe ver, ni considerar las innumerables condiciones que nos son ajenas y que crean causas y efectos que se nos escapan. Nadie puede controlar todos los eventos, circunstancias y situaciones.

La vida sigue su curso, aunque a veces nos resulte muy desfavorable. Cuando no se puede modificar una situación en el exterior, hay que cambiar la actitud interior para no añadir sufrimiento al sufrimiento, tensión a la tensión. Lograrlo es un verdadero arte, y forma parte de otro arte, el del fluir o saber deslizarse sin conflictos ni excesivas tensiones por el enorme río de la existencia. Declaraba el sabio Santideva: «Si tiene remedio, ¿por qué te preocupas?; si no tiene remedio, ¿por qué te preocupas?».

A veces más que cambiar los acontecimientos hay que cambiarse a uno mismo; muchas veces incluso si los acontecimientos son favorables, y si uno no mejora su calidad de vida anímica, no se siente plenitud y satisfacción. Pero sí se puede aprender a regular los comportamientos internos y externos, incluso modificar los modelos mentales que añaden conflicto al conflicto y desdicha a la desdicha. Hubo otro sabio que declaraba: «Siempre estoy sosegado, porque si procede cambiar algo y puedo hacerlo, lo hago, y si no espero paciente y lúcidamente el momento de poder hacerlo. Si en última instancia no es posible, no trato neciamente de descartar lo inevitable y lo acepto conscientemente». Ocuparse es sabiduría; preocuparse es neurosis. Ocuparse ahorra energías, nos hace diligentes y lúcidos; preocuparse roba energía, embota y ofusca. A veces uno está tan preocupado que no puede ocuparse. Hay que saber cómo utilizar y dirigir la volición. A veces no se puede intervenir sobre lo exterior, pero sí sobre el propio enfoque de lo exterior. No cambia el espectáculo, pero se modifica la actitud del espectador, y el espectador logra situarse en un plano de ecuanimidad, imperturbabilidad y calma profunda.

Apelando al discernimiento

Era un maestro genuino, al que a menudo sus discípulos planteaban cuestiones metafísicas. Entonces, invariablemente, repetía:

—Quién sabe.

Había discípulos que se indignaban y otros que se quedaban perplejos por la ambigüedad de la contestación del maestro. Ante cualquier cuestión metafísica que se le efectuara, respondía:

—Quién sabe.

Esta respuesta comenzó a despertar no pocas sospechas entre los discípulos, así como irritabilidad en unos y suma desconfianza en otros. Muchos dudaban de su inteligencia, otros estaban hartos de su ambigüedad, y otros aseguraban que era un farsante. Un día, un grupo de discípulos, indignados, estaba criticando al maestro cuando pasó por allí un perceptor espiritual y al verlos alterados les preguntó qué les sucedía. Se lo contaron en detalle y el preceptor les dijo:

—¡Qué fácil es censurar como lo estáis haciendo, sin juicio claro ni sabio discernimiento! Deberíais avergonzaros. Sois unos ignorantes.

Los discípulos se quedaron estupefactos y el preceptor añadió:

—Cuando vuestro maestro os dice «quién sabe», eso puede entenderse como «yo no lo sé», o «nadie lo sabe», o «unos lo saben y otros no», o «vosotros no lo sabéis», o «no es posible saberlo», o «no viene al caso si se sabe o no se sabe», o «es irrelevante saberlo», o «sólo los iluminados lo saben»... Con esa intencionada ambigüedad lo que pretende vuestro mentor es que utilicéis el discernimiento. Lo hace para favoreceros y para que maduréis y, a cambio, vosotros sólo utilizáis vuestra impúdica lengua como un estilete para censurarle.

Comentario

A menudo, al descalificar injustamente a los demás no hacemos otra cosa que descalificarnos. Por lo general el ser humano tiene poco control sobre su mente, su palabra y sus actos. Está sometido a sus automatismos mentales y, en consecuencia, a los de las palabras y los actos. Uno de los grandes logros en la senda del arte del noble vivir es hacerse más consciente. Consciencia acumula consciencia; automatismo acopia automatismo. Para estar consciente hay que estar vivo, alerta, atento, perceptivo a la gloria del instante, a la sustancia del momento. Esa plena captación de la realidad momentánea, además de ser lenitiva y equilibrante para la mente, abre la percepción, la purifica y genera consciencia. La consciencia otorga vitalidad, lucidez y compasión. El que de verdad sabe ver, se torna compasivo. De otro modo sólo su comprensión es intelectual y no tiene alcance transformador. Estar atento en una vida mecánica es un gran reto, un magnífico desafío.

El que está consciente se vigila bien y el que bien se vigila no incurre en palabras ásperas, hirientes, censuradoras por sistema, huecas, frívolas o que siembran desamor, discordia, conflicto y equívocos. El que está consciente puede controlar su palabra y hablar cuando procede hacerlo, y guardar silencio cuando es aconsejable; sus palabras son amables, cordiales, veraces, libres de embaucamientos o embustes, cálidas, y tratan de sembrar concordia, amor y entendimiento. La palabra correcta es un pilar de suma importancia en el arte de vivir. Los que utilizan la palabra como una daga o estilete para herir, los que mueven la lengua cargada de ponzoñosas intenciones, los que al despegar los labios difaman o calumnian distan mucho de convertir la vida en un arte, y no hacen otra cosa que ceder a pulsiones destructivas y a una expresión autómata. Se puede hacer mucho daño con la palabra, y de esa forma destruir vidas, incluso por mera inconsciencia. También muchas opiniones y juicios son equivocados porque a la persona le falta el entendimiento correcto, y entonces incurre en estrechos puntos de vista y opiniones desequilibradas y nocivas.

Hay que adiestrarse en despejar la mente para poder ver las cosas como son, sin dejar que la visión se contamine o distorsione con lo que se quiere o se teme ver, con proyecciones personales o prejuicios egocéntricos. A menudo, porque la mente no está lo suficientemente purificada, las palabras están emponzoñadas, o se dicen disparatadamente, sin reparar en los daños o equívocos que ello genera; otras veces se juzga gratuitamente, como si nuestra profesión fuera la de jueces, olvidando lo terriblemente malévolos o implacables que podemos ser con los demás. Por lo tanto se trata de cuidar la palabra y evitar también perjudiciales chismorreos. Estar atentos a la palabra es un ejercicio magnífico para la elevación de la consciencia, pues todos somos muy inconscientes cuando hablamos, y la palabra dicha nos hace ser después cautivos de ella. También muchas veces se suele mentir sin querer, y a menudo incluso se profieren inconveniencias o insensateces. Es un entrenamiento muy útil el esforzarnos en hablar con mayor precisión, de un modo veraz y directo, así como ser escuetos y cuerdos con el lenguaje.

El lenguaje tiene mucha importancia y la palabra, según se

41

use, puede ayudar o desayudar, confortar o vulnerar. Las personas que hablan ásperamente, con brusquedad, que son ofensivas y acriminadoras, hieren a los demás y se ganan muchos enemigos. La que habla con amabilidad y se expresa con justeza, que no insulta ni reprende airadamente, que no tiñe sus palabras de cólera y sarcasmo, sabe estar en armonía con los demás, sembrar concordia, granjearse amigos y ser querida, porque conforta y utiliza la palabra para alentar.

Muchas veces nuestras palabras están teñidas de acritud y hostilidad porque en nuestra mente existen estados de aversión. Una persona en cuya mente se recreen pensamientos de amistad, concordia y calma siempre se expresará amablemente. Debemos poner los medios para con la palabra unir, resolver conflictos y equívocos, sembrar concordia y amistad, tejer lazos fecundos entre los seres humanos, fomentar la compasión y la alegría. Las palabras pueden producir en la mente de los demás mucha confusión y aflicción o, por el contrario, sosiego, simpatía, contento y bienestar. Palabras afables acercan a las criaturas, en tanto que palabras groseras, mordaces y ofensivas generan antipatía y agresividad y suelen traer, antes o después, malas consecuencias. También hay que saber controlar la palabra para no caer en la imprudencia, el cotilleo y traicionar así, incluso sin darnos cuenta, la intimidad de nuestros amigos. Hablar por hablar, charlotear y dejar que las palabras sean como flechas ingobernables denota mucha inconsciencia y nos puede acarrear efectos muy negativos.

Otras personas vituperan a los demás con la palabra, se mofan y divierten ridiculizándoles, les confunden y agitan. Vivamos silentes entre los charlatanes; con palabras precisas y lúcidas entre los embaucadores y mentirosos; con vocablos amables y palabras sosegadas entre los que permiten que sus palabras sean dardos venenosos.

Un paseo por la vida

—Vámonos a dar un paseo por la vida —dijo el maestro.

Maestro y discípulo se pusieron en marcha. El discípulo no entendía por qué su mentor se había expresado así, si tan sólo estaban dando un paseo por el campo. De repente el maestro le dijo:

—Apresúrate.

Entonces se pusieron a caminar rápidamente. De súbito el maestro le dijo:

—¡Detente!

Se detuvieron. Al cabo de un rato, el maestro le dijo:

—Apresurémonos lentamente.

Y el discípulo comprendió la instrucción de cómo se debe dar un paseo por la vida.

Comentario

¡La vida! Es inasible a la lógica; irreducible al concepto. Es una experiencia prodigiosa y a veces temible; es un reto, un desafío, una mentora de mil rostros, unos gratos y otros atroces. El viaje dura, en el mejor de los casos, una centena de años, a lo largo de los cuales hay que ser diligente pero paciente; activo pero reflexivo; calmo pero no holgazán; saber hacer y saber parar; saber caminar y saber detenerse y, más aún, saber caminar al ritmo adecuado, sin ansiedad, sin indolencia. Se trata de ser intrépido, pero no descentrado; superar inhibiciones como los miedos imaginarios, los temores del ego, los «salvavidas» que de nada salvan y las muchas barreras y murallas que ponemos a nuestro alrededor y nos limitan y empobrecen. La verdadera intrepidez está en abrirse y superar condicionamientos, prejuicios, patrones y autodefensas narcisistas. No hay tiempo que perder, pero tampoco debe haber ansiedad compulsiva. Hay que seguir la trayectoria de la vida y respetar el curso de los acontecimientos, aprender a intervenir o a no hacerlo, según sean las circunstancias.

A medida que se va recorriendo la senda de la vida, hay que avanzar por el camino hacia el interior de uno mismo y entablar armonía entre el exterior y el interior. Se trata de ir superando con firmeza las malas intenciones que puedan surgir en uno, y poner medios para que los objetivos —y por tanto las palabras y los actos— sean más nobles. Sólo serán unos años, así que ¿por qué hacer de ellos un lodazal y no un vergel? El recuerdo de la muerte es muy útil para mejorar la calidad de vida interior y dar sentido a cada instante, porque ése bien puede ser el último. Conviene vivir con bondad y plenitud, desde el ser y para el ser, sabiendo, no obstante, bregar con la vida cotidiana.

Afirma el Dhammapada: «Tu vida puede acabarse ahora. La presencia de la muerte está aquí. No hay lugar para detenerse en el camino. ¿Dispones de provisiones?». No hay mejores provisiones que la verdadera ética, la disciplina de mente y palabra, la confianza en uno mismo y la sabiduría, el autoconocimiento y la calma interior. Este viaje prodigioso, a veces amable y otras pavoroso, que es la vida, debe hacerse con consciencia, sin causar daños inútiles, con paciencia apresurada, con lentitud diligente y, sobre todo, con amabilidad y el firme propósito de no herirnos ni herir a los demás, puesto que todos somos una gran familia de seres con sentimientos, que busca la dicha y huye del infortunio. Por eso hay que buscar el correcto sustentamiento; en ello insistían los antiguos sabios de Oriente, cuando evitaban traficar con seres humanos, drogas o sustancias tóxicas de cualquier tipo. Hay que abstenerse de herir o matar a otras criaturas, por ínfimas que resulten a la inexcusable arrogancia de «homoanimales», no abusar de otros seres humanos, ni explotarlos, denigrarlos o humillarlos, evitar la rapacidad, la rapiña, la voracidad por acumular a cualquier precio, el robo, la usurpación, la usura o la estafa, el embaucamiento o el fraude de cualquier tipo. En este recorrido por la sucesión de decorados cambiantes e insustanciales llamado vida, hay que propiciar en lo posible pensamientos amorosos y desplegarlos en todas direcciones, para crear una atmósfera interior de simpatía, benevolencia y alegría por los éxitos ajenos.

El sabio trata de ser cuidadoso en todo para no herir, como aquel que acaricia las alas de una mariposa con tal esmero que ni un poquito de polvo de las mismas se queda en las yemas de sus dedos. Hay que apelar al lado más inmaculado de la mente y al más tierno y entrañable del corazón, y no seguir dando por bueno el adagio que reza que «la tierra es el manicomio de los otros planetas» o que «este planeta sería un paraíso sin los seres humanos».

Apaciguarse, reequilibrarse, armonizarse, ser uno mismo, no generar inútiles conflictos, no añadir fricción a la fricción, hacerse consciente, elevar el umbral de entendimiento, humanizarse, calmar la ira, refrenar la codicia, disolver la ofuscación de la mente, compartir lo mejor de nosotros mismos con los demás, establecerse en la consciencia inafectada y clara, mantener la mente ordenada en el desorden y armónica en la desarmonía. Logros importantes que hay que ir consiguiendo «apresurándose lentamente».

A los seres arrebatados por la ofuscación, la codicia y el odio, amansémoslos tanto como sea posible, con claridad de mente, generosidad y amabilidad. Como reza el Anguttara Nikaya: «Cuando los actos no son inspirados por la avidez, el odio y la ofuscación, no son nacidos, basados y originados en la avidez, el odio ni la ofuscación, entonces no queda nada por madurar, y los actos no tienen raíces y son como árboles truncados, que no pueden ya volver a brotar ni crecer en el futuro».

El paseo por la vida exige una observación atenta y desprejuiciada para ir aprendiendo. A veces el espectáculo tenderá a desorientar y habrá que hacer uso de todos los recursos para recuperar el equilibrio interior y la coherencia psíquica. Ése es uno de los grandes retos, porque la comprensión racional no es suficiente para «bregar» con un espectáculo que a veces se nos presenta amable y otras realmente atroz. Nadie lo expresa mejor que Bhartrihari: «Escuchad aquí el sonido del dulce laúd, y allí la voz de un vivo lamento; aquí se reúnen en congreso los graves doctores y grita, allí, la turba alborotada de borrachos; aquí vemos encantadoras doncellas llenas de alegría, allí ancianas vacilantes y marchitas. A cada luz corresponde una sombra. Yo no sabría decir si vivimos en el cielo o en el infierno». Y ante esa diversidad de decorados, en que la vida presenta tantos rostros diferentes, la persona deberá desplegar sus valiosas energías para:

- cultivar asiduamente la mente para desarrollar calma y claridad;
- permanecer lo más serena y ecuánime posible a lo largo del misterioso, prodigioso y a veces pavoroso paseo por las veredas de la vida;
- hacer buenos méritos, cooperando en la propia dicha y en la de las demás criaturas.

Vanidad de vanidades

Era una hiena muy vanidosa que despreciaba a todas sus compañeras.

—Sois feas como demonios —les decía—, en cambio yo tengo un encanto muy especial. ¡Miradme y recread vuestros feos ojillos!

Un día, en una ciudad cercana, se convocó un concurso de pavos reales. Se trataba de elegir el pavo real más hermoso. Las hienas le dijeron a su petulante compañera:

—Eres tan hermosa que podrías presentarte a ese concurso y ganarlo.

La vanidosa hiena no captó la ironía de esas palabras y se dijo a sí misma: «¿Por qué no? Seguro que con mi apostura podría ganarlo». Y se le ocurrió una idea: se metió en la cuba de un tintorero y tiñó su cuerpo de variados y llamativos colores. Después se inscribió en el concurso y desfiló el día en que se celebró, pero como no tenía ni la elegancia ni la armonía de movimientos del pavo real, sino que era torpe y de burdos movimientos, todos los presentes se rieron y la abuchearon, para después echarla del recinto a empellones.

Comentario

El ego nos juega muy malas pasadas. Es el fuego de la autoimportancia, la vanidad, el egoísmo, la susceptibilidad, los celos, el afán de posesión y la ira. Un ego inmaduro, desorbitado y fragmentado deviene egocentrismo desmedido, soberbia, falso amor propio, infatuación y vanidad. El vanidoso no tiene ojos para los demás, pero tampoco para el lado genuino de sí mismo, porque todas sus energías se consumen en aparentar, destacar, ser aprobado, convertirse en el centro de las reuniones, arrancar una lisonja o un elogio, y todo ello le enceguece. A menudo le hace adoptar comportamientos infantiles y ridículos y, lo que es peor, le hace ser extraordinariamente débil y vulnerable, pues por todo puede ofenderse, resentirse o no sentirse lo suficientemente valorado. El vanidoso es un mendigo de halagos; necesita compulsivamente afirmar su ego y convierte su vida en un afán neurótico por envanecerse, impresionar y alardear, y en vez de eso lo que a menudo consigue es el desprecio o la burla de los demás.

En esta sociedad, donde hay una mórbida predisposición a la apariencia y lo banal, se crea un especial caldo de cultivo para la vanidad, la arrogancia y la fatuidad. El vanidoso no tiene sensibilidad para las necesidades ajenas y a menudo se gana enemigos. Como diría Yogananda, pertenece a esas personas que se creen muy doctas en su propia ignorancia y que a menudo quieren exhibirse y afirmarse, aun a riesgo de caer en el absurdo. Es una cualidad que hay que vigilar y tratar de superar. Frena el autodesarrollo, mortifica y limita las posibilidades humanas. Es uno de los grandes males del ego, aunque no el peor. En esta vida, la verdadera humildad, que no la falsa o simulada, es un puente hacia la amistad, la concordia y las buenas relaciones. La rosa no necesita fingir ni alardear para expandir su maravillosa fragancia en todas direcciones; ni siquiera necesita que la huelan para seguir haciéndolo, y menos que la alaben.

Impecabilidad

Un discípulo sumamente exigente, a pesar de que poseía un pobre nivel de entendimiento y disponía de una escasa evolución espiritual, después de años buscando maestros y descartándolos por no considerarlos dignos de que le enseñaran, encontró uno que le pareció el mentor perfecto y le dijo:

—¡Por fin he encontrado un maestro impecable! Así que te permito que me impartas enseñanzas.

Y el maestro, impávido, repuso:

—Pues no lo haré.

—¿Por qué?

—Porque un maestro impecable requiere un discípulo impecable y tú distas mucho de serlo.

Comentario

A menudo se es muy exigente con los demás y demasiado permisivo con uno mismo; es común mostrarse sumamente implacables al juzgar a los otros y hallar todo tipo de pretextos y justificaciones para explicar las conductas negativas propias; con meridiana claridad vemos los pequeños fallos en los demás e ignoramos los más impúdicos y descarados de nosotros mismos. Tendemos a juzgar, a exigir, a creernos con derecho a muchas

49

cosas sin merecerlas o a que todas nuestras expectativas se vean satisfechas. Exigimos tener el mejor amigo, la persona más entregada en una relación sentimental, el mejor hijo o el mejor padre, los mejores compañeros en el trabajo..., pero ¿estamos a la altura de nuestras infantiles exigencias? Muchas personas quieren el mejor mentor —a imagen y semejanza, desde luego, del discípulo—, pero sus intenciones y sus actitudes no son lo suficientemente puras para merecer esa clase de maestros intachables; quizá se merezcan grotescos seudomaestros que les hagan el juego y les exploten lindamente.

También con frecuencia exigimos mucha consideración de los demás y difícilmente tenemos consideración por ellos. El arte del noble vivir consiste en ejercitarse para ser más solares y por tanto propagar los rayos de compasión y buenos sentimientos, en lugar de permanecer en una actitud absorbente de recibir y demandar con desmesura. Normalmente, se pide mucho más de lo que se está dispuesto a dar; por si fuera poco, se proyectan sobre los demás perspectivas perturbadas y se distorsiona lo que se ve.

También tendemos a hacer responsables de nuestras insatisfacciones y desengaños a nuestros semejantes y no asumimos madura y conscientemente nuestra responsabilidad. Según la antigua sabiduría de la India, «uno mismo se hace el bien y uno mismo se hace el mal», lo cual no significa que no haya personas maravillosas y cooperantes dispuestas a ayudar, y otras malevolentes y aviesas que sólo tratan de dañar. Uno siempre puede poner medios para favorecerse o desfavorecerse, lograr madurez emocional o frustrarla, hallar la libertad interior o seguir siendo cautivo de uno mismo.

Algunos desean un líder o maestro para rendirle obediencia ciega y perpetuar neuróticamente sus carencias emocionales; otros, un líder o maestro que alimente su instinto de borreguismo y los libere de la tarea de discernir y optar; otros quieren que alguien tome la determinación por ellos o les procure métodos para, sin esfuerzo ni disciplina, hallar la integración interior. Lo más importante es desarrollar el propio líder interior, el propio maestro interno y, en lo posible, evitar herirse a sí mismo y a los demás seres que sienten. Hay que aprender a discernir, y eso nadie puede ni debe hacerlo por nosotros. El que verdaderamente discierne, mejora su comportamiento y se humaniza, ve lo que es y no lo que quiere o teme ver, se libera de opiniones y prejuicios equivocados, evita lo perjudicial y despliega lo provechoso, se esfuerza por mantener armonizados sus instrumentos vitales (cuerpo y mente) y no los daña innecesariamente ni los desequilibra; se ejercita en la conquista de la consciencia más límpida e inafectada, más intensa y sabia; no se deja perturbar por banales sucesos o el apego a mezquindades y boberías; valora el autodesarrollo y el trabajo sobre sí mismo, para poder ser más humano y vivir con más sosiego, sabe que hay que evitar aferrarse a las ideas, los estrechos puntos de vista y las opiniones erróneas, y que hay que proceder con vigilancia y diligencia para procurarle a la mente estados de perspicacia y claridad, para que pueda proceder así más correctamente.

La persona que desarrolla su maestro interior y va gozando de entendimiento correcto, comprende con claridad que hay que erradicar las fuerzas hostiles y propiciar las integradoras, para beneficio propio y ajeno; que uno mismo es dueño de sus palabras y actos, que se debe ser reflexivo y consciente; que hay que orientar la voluntad hacia lo creativo, noble y constructivo, y no hacia lo destructivo, innoble y perjudicial. El que aprende a ver desde su naturaleza real, que es su verdadero mentor, no se presta al juego de los pensamientos, intenciones, proceder y actitudes malevolentes, codiciosas, irascibles o perjudiciales para

51

uno o para los demás. Pone medios para evitar el sufrimiento de sí mismo y de los otros, se libera de dogmas y patrones y sigue el aprendizaje, paciente pero diligente, para obtener sosiego interior, ecuanimidad, claridad y buenos sentimientos.

Nada es insignificante

Un joven, extraviado en sus ideas metafísicas, consideraba que todo menos la abstracción filosófica era insignificante. Se había vuelto petulante y, lo que era peor, menospreciaba a personas y hechos por considerarlo todo insignificante. Entonces su padre, dolido por su actitud, le dijo un día:

—No sabes ver. No sabes apreciar. No sabes vivir.

—¿A qué viene esta monserga? —le preguntó el hijo, arrogante.

—Mañana, al amanecer, saldremos a dar un paseo.

Al día siguiente, antes de despuntar el sol, el padre zarandeó a su hijo para despertarlo. Salieron a dar un paseo. Vieron una gota de rocío sobre una hoja y el padre dijo:

—Acércate a esa gota de rocío, obsérvala bien y dime qué ves.

Así lo hizo el muchacho y, tras atenta contemplación dijo:

—Se refleja el sol en ella.

—¿Lo ves, necio fatuo? Hasta en la gota de rocío más insignificante se refleja algo tan grande como el sol.

Comentario

La persona ha perdido el sentido de sacralización de todo lo existente. Todo es sagrado en la naturaleza, desde una brizna de hierba a un elefante, desde un caracol a un ser humano. Del mismo modo que el agua riega plantas muy diferentes, la energía cósmica impregna toda la naturaleza y a todas las criaturas sensibles. La desacralización de la naturaleza conduce a los hombres a menospreciarla y maltratarla, en tanto que muchos aborígenes —como he podido comprobar en la India— tienen un gran respeto por la naturaleza y sus «espíritus» y están plenamente identificados e integrados en la misma. Todos los fenómenos son insustanciales en la pantalla de lo existencial, pero a la vez todo lo viviente es sagrado. Como reza el antiguo adagio: «Si te hiero, me hiero». La corriente de fuerza vital palpita en lo más infinito y en lo más infinitesimal. Todo es interdependiente y para que el sol pueda reflejarse, tiene que haber una gota de rocío, un lago, un río. Todos los fenómenos interactúan y se comprenden.

Para el que no sabe ver, todo es independiente y aislado, incluso uno mismo, pero para el que sabe ver, todo forma parte del todo, y el tornillo forma parte del transatlántico por mucho que se quiera ignorar o prescindir de ello. No nos modificamos ni nos transformamos por las creencias ni por los conceptos, por metafísicos y elevados que sean, sino por la experiencia interior, que nos hace ver lo que está más allá de la visión ordinaria y velada. Los científicos han tenido que dejar discurrir miles de años para descubrir que todos compartimos idénticos genomas; lo mismo que, sin utilizar ese vocablo, afirmaban los yoguis y sabios de Oriente cuando exhortaban a percibir la unidad en todo lo diverso y polimorfo, a respetar al sol, la gota de rocío, la nube y el árbol, el elefante y la ardilla. Pero ese implacable depredador que es el ser humano le roba a la naturaleza el orden y el equilibrio, y no comprende que del mismo modo que el sol necesita a la gota de rocío para reflejarse, la persona tiene una insoslayable necesidad de todos esos seres vivientes a los que desprecia y maltrata. Cuando uno va descubriendo en sí mismo «aquello» que hace posible su propia organización psicosomática y que los hindúes llaman el sí-mismo o esencia, entonces esa misma esencia se descubre y reverencia a todo lo existente.

Declara el Brihadaranyaka-Upanishad: «Y por eso debemos ver el sí-mismo, oír hablar de él, pensar en él, meditar en él. Y viendo el sí-mismo, oyendo hablar de él, pensando en él, conociéndolo, todo se torna conocido». Si se respeta el propio ser (no el feo ego), se respetará el ser de todo lo existente. Y para llegar a ese conocimiento y a ese respeto, es necesario el viaje interior, y no tan sólo las acrobacias intelectuales que nos llevan a la arrogancia o la infatuación. Ese fabuloso texto que es el Yoga-Vashishtha declara: «Todo está en el alma, y la totalidad de este universo, sin división ni dualidad alguna, se encuentra en ella: es una con lo Absoluto».

Autoengaño

Un hombre que se consideraba a sí mismo muy evolucionado espiritualmente acudió a visitar a un sabio y le dijo:

—Habiendo alcanzado un notable grado de evolución, necesito alguna instrucción muy elevada para acceder a la suprema sabiduría.

El sabio, tras mirarle durante unos instantes, le preguntó:

—Ya que tienes tanto conocimiento, dime: ¿qué es para ti lo real?

Y el hombre le contestó:

—Es obvio. Todo es fenoménico y, por tanto, vacuo e insustancial. La última realidad es el vacío.

En ese instante, el sabio le propinó una bofetada. El hombre, muy encolerizado, se abalanzó amenazante sobre él.

—Tranquilízate, buen hombre —dijo el sabio, conciliador—. Si todo es vacío, ¿de dónde viene esa cólera?

El hombre se dio cuenta de su autoengaño y desde aquel día comenzó a trabajar seriamente en su autorrealización.

Comentario

Todos tejemos una extraordinaria red de autoengaños. El autoengaño traba el desarrollo de uno mismo, pero además nos impide ver el lado más difícil, y por tanto no podemos invertir nuestra energía en sanearlo. Nos engañamos porque preferimos seguir utilizando embustes para estar a la altura del ego idealizado, en lugar de desenmascararnos, por doloroso que sea, y de esa forma madurar y evolucionar. Cuanto más intelectual es una persona, más capacidad tiene para que sus autoengaños sean más sutiles y peligrosos. Forma parte del autoengaño disfrazarse uno mismo y jugar con ello al escondite, saturar nuestras vidas de componendas y composturas, arrogarnos cualidades de las que carecemos, aparentar y fingir características laudables de las que estamos exentos, hallar siempre las más falaces justificaciones y pretextos para no asumir nuestra responsabilidad de adultos y, por tanto, de nuestras palabras y actos.

El ego, con un sofisticado andamiaje, se las arregla perfectamente para seguir tejiendo la densa red de autoengaños, y nos mantiene así anclados impidiéndonos el verdadero aprendizaje vital y existencial. Los autoengaños nublan el entendimiento, enquistan e incluso hallan disculpas ante comportamientos indeseables. Pero en la medida en que se va despejando el ojo de la sabiduría y la persona va superando sus tendencias desmedidas de codicia y odio, empieza a ver tal como es, se acepta conscientemente y desde ahí, sin fatalista resignación, se va convirtiendo en arquitecto de su propia vida interior. A veces nuestra psicología es tan sinuosa como destructiva, y hay que irla conociendo y asumiendo para tomar la firme decisión de cambiarla. En ocasiones un choque o sacudida vital nos ayuda —si no tenemos la mente demasiado empañada o estamos demasiado dormidos— a emerger de nuestra ignorancia sobre nosotros mismos y a que eclosione el lado más auténtico de nuestro ser. La sabiduría que vayamos conquistando, no sólo nos ayudará a despojarnos de nuestros autoengaños, sino también de nuestras engañosas opiniones sobre la realidad exterior y, como declara el Yoga-Vashishtha, «conociendo la irrealidad del mundo, ninguna persona con sabiduría se deja engañar por sus siempre cambiantes decorados». Así, la persona que se va ejercitando interiormente, actúa en el mundo con la mayor precisión y cordura, pero a la vez una parte de ella no es del mundo y logra mantener su realidad interior menos afectada y por tanto menos perturbada. Y cuando esa sabiduría se va desplegando, entonces el ser humano «reverenciado no siente deleite; menospreciado, no siente ira; la idea de la muerte no lo agita ni lo contenta la perspectiva de una larga vida». Es lo que verdaderamente es, y no está acaparado por sus innumerables autoengaños, aquellos que son como muros que impiden una visión más amplia.

Más allá del ego

Era un maestro que habitaba en una ermita en la inmensidad de los picos himalayos. Había ganado fama de desprendimiento y a menudo venían gentes de las localidades montañesas a visitarle y a recibir sus bendiciones. Los más acaudalados le llevaban sustanciosos regalos de todo tipo, pero el maestro los cogía y los arrojaba hacia atrás sin echarles siquiera un vistazo. Después cogía al azar algunos de los regalos recibidos y se los entregaba a los que eran pobres y nada tenían. Tomaba y daba sin reparar en ello, alegremente. Extrañados, sus más cercanos discípulos le preguntaron por qué actuaba de ese modo, a lo que sosegadamente repuso:

—Porque, queridos míos, yo no estoy ni en el dar ni en el tomar.

Comentario

Siempre permitimos que nuestro ego se implique en la acción; forma parte de su modo de afirmarse, perpetuarse, envanecerse y autocomplacerse. Al involucrar el ego en todo lo que hacemos, la acción se torna personalista y a menudo demasiado egoísta; nos movemos en función de avidez y aversión, apego y rechazo, en una dimensión muy pobre y repetitiva de la mente y de los afectos, donde hay poco lugar para el amor incondicional y la entrega más desinteresada. Así nos ligamos de tal modo a lo que hacemos que se crean continuas reacciones de ansia, frustración, codicia, resentimiento, sentimientos ciegos y a menudo destructivos, profundas contradicciones, sentimientos de fracaso, angustia y desánimo. La acción demasiado egocéntrica termina por dominarnos o incluso esclavizarnos, y nos hace perder el sentido del equilibrio.

Pero se puede adoptar otra actitud para actuar con precisión y no estar tan condicionado por las reacciones egocéntricas de dar y tomar, asir y soltar, perder o ganar. Entonces hay una corriente vital que se renueva a cada instante y la acción se vuelve más expansiva, generosa y traspersonal. Al no dejarse afectar por reacciones extremas y ser más libres del escrutinio del ego, no se siente tanta ansiedad, apego o rechazo, y la persona aprende a desligarse de la acción personalista y a no obsesionarse tanto por sus resultados o frutos. Se hace lo que se debe hacer o se deja de hacer lo que se debe dejar de hacer; se aprende a actuar más espontáneamente según lo requieran las circunstancias, con la comprensión clara de «nada a lo que asirse, nada a lo que aferrarse». En una ocasión se le preguntó a un anciano maestro que siempre se sentía muy vital cómo era posible que a pesar de su avanzada edad mantuviera aquel tono espléndido, y éste repuso: «Toda la energía que otros consumen en los sentimientos de ganancia o pérdida, yo la acumulo, y hago sin estar condicionado por ese tipo de obsesiones».

El ofrecimiento del alquimista

Un alquimista visitó el reino y al encontrarse frente al rey le dijo:

—Majestad, por tratarse de vos, puedo, si lo deseáis, ofreceros una pócima que os procurará la inmortalidad.

El monarca, ante tan sorprendente ofrecimiento, se quedó perplejo y sin saber qué decir. Tan confuso estaba que decidió convocar al consejo de sus siete sabios, formado por seis humanos y un perro. Les expuso la cuestión y los seis sabios humanos le aconsejaron:

—Majestad, nosotros no lo dudaríamos. Tomad la pócima y sed inmortal. ¿Qué más podría anhelar un ser humano?

Pero el perro argumentó:

—Yo no lo haría jamás, majestad. ¿De qué sirve vivir eternamente si no podemos contar con nuestros seres queridos para disfrutar de la vida?

El rey destituyó a los seis sabios y sólo se quedó con el sabio perruno. Fue una gran elección y nunca se arrepintió de ella.

Comentario

En una ocasión el asistente personal de Buda, su primo Ananda, le dijo: «Señor, ¿no es cierto que las tres cuartas partes de la vida deben ser el afecto y la amistad?». Y Buda repuso: «No, Ananda, no; no las tres cuartas partes de la vida, sino las cuatro cuartas partes de la vida». Y ciertamente el mayor sentido de la vida es poder cooperar con las otras criaturas para que sean más dichosas, y poner los medios para que estén menos sometidas a sufrimiento y peligros. Es, cuando hay discernimiento y, por tanto, ternura de corazón, lo más compensador y consolador de la existencia y lo único que tal vez le da un sentido elevado. No nos percatamos de cuán difícil es haber tomado forma humana (entre infinitas posibilidades) y haber coincidido con seres entrañables y queridos. Ya que, sea por azar o por destino, hemos coincidido con ellos, sepamos amarles más incondicionalmente y tratar de cooperar en su bienestar y dicha.

Cuando hay verdadera inteligencia, ella misma nos hace ver y comprender que nada es tan importante como el cariño, y que en las criaturas queridas hallamos la energía más poderosa, inspiradora y reconfortante; esa relación, por sí misma, ya da un precioso sentido a la vida. Pero hay que saber valorar esa «coincidencia» y estimular los afectos más sanos, fecundos y exentos de apego y afán de posesión. Ya que el sufrimiento llegará antes o después a toda criatura, tratemos, mientras sea posible, de aliviarlo; ya que antes o después la dicha le será robada a toda persona por las circunstancias y vicisitudes vitales, pongamos nuestro mayor interés en procurársela mientras nos sea posible. Deberíamos inspirarnos de vez en cuando en las palabras del yogui Shivanandam: «La sal de la vida es servir a los demás de modo desinteresado. El aliento de la vida es el amor universal. La vida no se vive con plenitud ni se realiza totalmente si no sirves y amas a toda la humanidad».

Como la sombra sigue al cuerpo, cuando la persona desarrolla el entendimiento cabal, el verdadero afecto la impregna. La sabiduría siempre comporta un corazón afectuoso y tierno. En una ocasión se le preguntó a un mentor: «¿Se considera usted libre?». Y éste repuso: «¡Oh, no, porque por mucho que quisiera jamás podría dañar a criatura alguna!». Una de las prioridades de la vida debe ser siempre entablar relaciones de afecto incondicional con los seres queridos y en lo posible fecundar lazos de cariño con palabras amables y conductas generosas. Lo que los perros hacen tan amorosa y espontáneamente, a las personas nos cuesta demasiado, y los seres humanos tenemos que desarrollar día a día, pacientemente, la sabiduría instintiva de la que el perro disfruta de modo natural.

El peor negocio

De entre todos los discípulos, ninguno era tan incorregiblemente perezoso. Pasaba su tiempo holgazaneando en la cama o lo consumía en banales charloteos y cotilleos. El maestro, un día en que uno de sus discípulos se convirtió en un especialista en maquillaje, tuvo una idea. Le pidió a éste que maquillara al holgazán y le hiciese aparentar veinte años más. Y, mientras éste dormía, así lo hizo. A la mañana siguiente, el perezoso discípulo se levantó tarde, exaltándose, como era su hábito tanto en la práctica de la meditación como en la ejecución de las actividades domésticas. Se dirigió al arroyo con intención de lavarse. Al ver su rostro envejecido reflejado en las aguas, se sobresaltó espantado. Fuera de sí, comenzó a llorar desesperadamente y fue corriendo a ver al maestro.

—Pero ¿qué me ha sucedido? —preguntó entre sollozos.

—Nada —dijo el maestro, disimulando hábilmente—. ¿A qué te refieres?

—¿No me ves terriblemente avejentado?

—Bueno —dijo el maestro—, pues igual que te vi ayer y anteayer. Sí, ya te has hecho mayor. Lo peor es que has perdido el tiempo y no has avanzado nada en la senda hacia la paz interior. Has consumido tu vida sin ningún logro espiritual. Ése es el peor negocio.

El discípulo se arrojó al suelo llorando desconsoladamente mientras se lamentaba con estas palabras:

—¡He desaprovechado mi vida! ¡He consumido absurdamente mi existencia! ¡Si pudiera volver a mi juventud...!

—¡Qué mal negocio has hecho! —insistió el maestro—. Pero ¿cómo vas a volver a la juventud perdida? Sí, muy mal negocio, porque incluso los diamantes, el oro y la plata pueden comprarse en el bazar, pero nadie puede comprar el tiempo.

El maestro dejó que su angustiado discípulo llorara un rato. Después pidió un cubo de agua y él mismo, con un paño, le limpió la cara. A continuación le dijo:

—Ahora no sigas holgazaneando. Eres joven, pero la vida pasa muy rápido.

A partir de entonces, el discípulo se convirtió en el más diligente del grupo.

Comentario

«Que no tengáis luego que lamentaros.» Esta admonición la encontramos en Buda y en Jesús de Nazaret. Yo la he escuchado a menudo de los labios de mentores, yoguis y monjes. No consiste en alarmarnos ni en compungirnos, sino en exhortarnos. Deberíamos decírnosla con frecuencia a nosotros mismos. No hay lugar para la pereza crónica. Hay que reposarse y no dejarse enredar por un elevado coeficiente de actividades o labores cotidianas; ésa es una atadura demasiado grave por lo que tiene de acaparadora; pero hay que ponerse manos a la obra para actualizar los potenciales internos que nos ayudan a sentirnos más sosegados y plenos, y a extraerle a la vida el «jugo» del afecto y la plenitud. Hay que mirar dentro y fuera de uno; escudriñar y discernir. La vida discurre muy lenta o muy rápidamente, según lo veamos. Un adagio hindú reza: «La vida es un guiño en el ojo de Dios». Un día puede parecer muy largo y una vida muy corta, y a la vez puede parecer que han sido muchas vidas. Pero *tempus fugit* y la vida se consume, como coloquialmente se ha dicho, en un abrir y cerrar de ojos..., y no sólo del ojo divino.

Para ganar la libertad interior hay que aplicarse. No faltan las sendas, los mapas espirituales, los métodos fiables... A veces falta la voluntad, la motivación, la energía y el asiduo ejercicio. Pero como nadie puede revelarnos lo que por uno mismo y en uno mismo hay que descubrir, se requiere cierta urgencia desde la paciencia. El esfuerzo se hace necesario... también para aprender a patinar, para escalar o cultivar primorosamente un jardín. No se trata ni mucho menos de un voluntarismo mórbido, que no conduce a ninguna parte; ni de actitudes espartanas que se hacen coercitivas y disciplinarias e inducen a la represión y a veces a graves perturbaciones psíquicas (como les ocurre a los miembros de determinadas escuelas espirituales basadas en un severo y nocivo autocontrol). Se trata de un esfuerzo adecuado, pero necesario. «Esforzaos, sed diligentes», nos animaba Buda. Y otro sabio, Shankarachaya, decía: «Con todo esfuerzo por ser libre de las ataduras del mundo, los sabios deben esforzarse de la misma manera que lo harían para liberarse de la enfermedad». Y hay una enfermedad en la mente, que cursa como ofuscación, avaricia y odio. La sanación consiste en ir liberando la mente de esos perniciosos estados y desplazarse de lo adquirido a la propia identidad, de la personalidad a la esencia, de la máscara al espectador. De nuevo Shankarachaya: «Refuerza tu identidad con tu ser y rechaza al mismo tiempo el sentido del ego con sus modificaciones, que no tienen valor alguno, como no lo tiene el jarro roto». Uno mismo crea su esclavitud o su libertad. Hay que irse despojando de muchos disfraces, ropajes y vestiduras para ser uno mismo. El «sabor del éter» (hermosa expresión utilizada por los sabios antiguos) hay que ganarlo. Es el sabor de la libertad interior, bien diferente al sabor amargo, el de la hiel, que deriva de las ataduras de la mente.

Meditación y acción

Un maestro insistía y le decía a su discípulo:

—Meditación y acción.

Y le instruía en combinar la práctica de la meditación con la acción virtuosa. Por eso, todas las tardes lo enviaba a que prestase ayuda a los desvalidos. Una tarde, el discípulo acudió a una leprosería y estuvo ayudando a los enfermos a comer y vestirse. Luego regresó a la ermita. Aquella noche el maestro le preguntó:

—¿Qué tal te ha ido?

—¡Oh, muy bien! —exclamó el discípulo—. He ayudado muchísimo. Todo el mundo estaba encantado conmigo. He preparado comidas, he lavado, he confeccionado vendajes. He sido de mucha ayuda, tanta que incluso se lo he comentado al director del establecimiento y me ha felicitado. Sí, he ayudado enormemente.

Entonces, el maestro cogió la vela que estaba encendida y la arrojó a un pequeño fuego que había en el exterior para espantar a las alimañas. El discípulo se quedó consternado.

—¿A qué viene ese acto impulsivo y absurdo? —preguntó con insolencia.

El maestro dijo:

—Como la cera se derrite en la hoguera, así se disipan los méritos de las buenas acciones de las que uno se ufana.

Comentario

Ha llegado el momento de extendernos un poco sobre el karma-yoga, que de hecho es un yoga excepcional para la vida cotidiana, es decir, un método para encaminar la acción por la senda del arte del noble vivir, puesto que todos somos impelidos a actuar, incluso la persona más aparentemente pasiva. Pero la acción no es agitación ni debe ser alienación, ni tiene por qué sacarnos de nuestro centro o quicio. A muchas personas la acción les fragmenta, irrita, les roba energías, crispa y crea conflicto. Muchas veces eso se debe a un enfoque inadecuado, a una comprensión incorrecta. Cuando los antiguos sabios de Oriente escribían sobre el hacer sin hacer o del no-hacer, nadie entendía que se referían a un no-hacer exterior, sino a mantener la pasividad interior y la mente contemplativa e inafectada en la acción. Se referían a apasionarse desapasionadamente (o sea, sin perder la luz de la consciencia), a hacer con precisión y sagacidad para no dejarse enajenar, ni identificar, y menos aún atrapar y arrebatar por la acción.

Ni siquiera a la acción más entrañable hay que tenerle apego o aferramiento. «Haced como si no hicierais», dicen los maestros; estad en la acción, pero sin reacción; entregaos a la acción del momento, con la mente alerta, y si laváis los platos, laváis los platos, y si camináis, camináis, pero no os angustiéis, no os dejéis arrastrar por el pasado ni por el futuro. Si estáis viajando y cuando os encontráis en una ciudad, ya pensáis en la próxima, ni estáis en la ciudad del presente ni nunca estaréis tampoco en la próxima cuando a ella lleguéis. No podéis dejar de actuar, pero que una parte de vosotros no se vincule ciegamente a la acción, que no se ligue esclavizándoos. Estar sin estar, en este mundo y más allá de este mundo. ¡Qué magnífico —recordémoslo una vez más como en muchas de mis obras— el símil de los dos pájaros sobre la rama! Uno deleita los frutos del árbol, afanado, y el otro, a su lado, lo observa desde la quietud más profunda e inconmovible. Pero sólo sabemos afanarnos y perdemos de vista nuestro ser esencial, y entonces la acción nos encadena, nos aliena, nos hace sentirnos desfallecidos o frustrados, nos angustia y estresa, nos desequilibra psíquicamente. Obsesionados por la acción y sus resultados, decaemos, nos angustiamos y nos sentimos muy frustrados cuando los frutos no llegan en el momento que esperábamos. Pero el karma-yoga nos orienta:

- Actuad lo mejor que podáis.
- Actuad diestra y conscientemente.
- No os vinculéis ciegamente a la acción.
- No os obsesionéis por los resultados y renunciad mentalmente a los mismos, que ya vendrán por añadidura, pero no antes por mucho que os angustiéis.
- No dejéis nunca de ser vosotros mismos por la acción, o a pesar de la acción sed vosotros mismos. Pero no os identifiquéis ciega y mecánicamente con ella perdiendo vuestro propio centro.

El que no ha desarrollado sabiduría, «abriga la idea de ego y obra aunque no actúe, mas el sabio, que libre se halla de la idea de ego, no actúa aunque obre» (Ashtavakra). El que actúa desde la consciencia no se agita, no se deja condicionar tanto por el éxito o el fracaso, tiene más energías y es más sagaz en la acción; no se herrumbra ni se obsesiona. Mantiene la ecuanimidad; no se deja arrastrar por halagos o insultos. Ama la obra por la obra misma y valora el proceso por el mismo proceso. Al no encadenarse, hace sin hacer; al no implicarse ciegamente, actúa sin actuar. Lo que debe ser hecho, se hace; lo que no debe ser hecho, no se hace. No hay tanta insatisfacción, ni desaliento, ni frustración. No hay aferramiento. Se le da prioridad al ser y luego al hacer, y no al hacer para así afirmar el ego, que no el ser. En tal caso no hay vanidad, no hay arrogancia, no hay tanta apropiación de la obra llevada a cabo, no hay envanecimiento y la carga es menor.

Veamos una anécdota. Un maestro hizo algo muy importante por un discípulo. Cuando el discípulo le dio las gracias, el maestro repuso: «Nunca digas que yo lo he hecho». ¡Qué gran lección para los occidentales, que siempre necesitamos afirmarnos, destacar y que «hablen de nosotros aunque sea bien», como dice el adagio popular! Pero mucho más importante que la acción es la intención. Una intención pura es previa a la acción y debe ser cultivada. Según otro adagio: «Más vale una intención pura seguida de una acción equivocada, que una acción adecuada surgida de una intención impura». Porque nos apropiamos de la acción, nos apropiamos de los méritos. Buscamos agradecimientos, consideración, aliento para la vanidad y el ego. El que ha aprendido a establecerse en su ser, y no sólo está identificado con la personalidad, logra no dejarse atrapar por los méritos o deméritos. Hace lo que la situación requiere, pero no para afirmarse ni envanecerse. Pero el egoísta sólo actúa en beneficio propio, en provecho propio. Su acción está cargada de egotismo y, por tanto, de codicia. Sólo persigue resultados y se pierde cada jalón del camino, obsesionado por la meta. Su voracidad no le permite aprender ni madurar. Nunca actúa para que de su actuación surja un bien, sino por su propio bien y provecho.

En lugar de utilizar la acción como un medio, la persona egoísta es el medio y títere de la acción; pero mediante la reflexión consciente, la visión clara y el trabajo meditativo, se siente que hay una parte de uno mismo que no actúa, y que en toda acción puede haber quietud, reposo y calma. No hay tanta necesidad de envanecerse de lo que se hace, y aquel que se ha liberado

70

de su ego inmaduro, cuando «desarrolla una determinada acción, ésta se asemeja al acto de escribir sobre el agua: no queda huella alguna» (Yogananda). ¡Qué distante esta concepción de la del occidental, que se empeña, con narcisismo, en dejar huella a costa de lo que fuere. Para consolidarse, el ego necesita arrogarse toda acción y envanecerse con sus méritos; entonces el ego crece, pero el ser o la esencia mengua. El karma-yogui no se preocupa tanto de sí mismo y trata de ocuparse también de los otros. La acción sin cariño y precisión es un fiasco, y la acción que sólo se lleva a cabo para ser halagado o materialmente recompensado es un simulacro grotesco.

El consejo del sadhu

El rey y la reina estaban sentados junto a la chimenea, cuando de pronto se oyó el canto de una perdiz. El rey aseguró:

—El canto viene de la derecha.

Y la reina dijo:

—Viene, querido señor, de la izquierda.

—Vamos a apostar —dijo el rey—. Si viene de la izquierda, como tú dices, te entregaré mi reino, y si viene de la derecha, como yo digo, me entregarás las tierras que heredaste de tus antepasados.

—De acuerdo —convino la reina.

Salieron fuera del palacio y comprobaron que la reina tenía razón. El rey comenzó a disponerlo todo para que la reina se quedara con el reino, pero los consejeros le dijeron al monarca que eso era una estupidez, que lo que tenía que hacer era deshacerse de la reina y mantener su reino. Finalmente, el monarca cedió a la tentación. Una noche, unos hombres entraron en la estancia de la reina, mientras ésta dormía, la introdujeron en una caja y la lanzaron al río para que se ahogara. Pero un sadhu que estaba haciendo sus abluciones sagradas en las aguas del río, descubrió la caja, la abrió y encontró dentro, casi ahogada, a la reina. Con sus artes curativas logró reponerla, y se quedó a vivir en la ermita del sadhu.

Pero la reina había quedado embarazada del rey, y en unas semanas se produjo el alumbramiento. Dio a luz a tres preciosas niñas. El hada del bosque se hizo cargo de ellas durante un mes, y cuando llegó el momento de irse, con su varita mágica, dejó un regalo para cada niñita. Para la primera de ellas, que dondequiera que posase sus pies, lo pisado se convertiría en oro y en plata; para la segunda, que cuando riera, de sus labios surgirían hermosas y perfumadas flores; para la tercera, que sus lágrimas, cuando llorase, serían finísimas perlas. Y como los regalos se materializaron, las hermanas, junto a su madre, pudieron construir un fabuloso palacio.

Un día, el monarca, estando de cacería, pasó ante el palacio y sus cortesanos le dijeron:

—Antes no era más que la ermita de un sadhu.

El monarca se entrevistó con el sadhu y le exigió que le contase cómo había adquirido aquel palacio. Como el sadhu jamás mentía, le contó la verdadera historia. El rey se dio cuenta de su monstruosidad, se arrojó a los pies de la reina y le pidió perdón; pero ella le guardaba mucho rencor y se lo negó. Aquella noche, la reina, que había aprendido a confiar en la sabiduría del sadhu, le comentó lo sucedido a éste y le pidió consejo. El sadhu le recomendó:

—Señora, el rencor es un veneno que nos va matando lenta e imperceptiblemente. De nada sirve vivir en un palacio si en nuestro palacio interior sólo habita el veneno del rencor. Perdona al rey, porque bastante castigo ya tiene; pero no vuelvas con él. No es de fiar y no tenemos por qué ponernos al alcance de las personas que no lo son.

La reina le perdonó. Ella fue feliz el resto de su vida; él fue enormemente desgraciado.

Comentario

Perdona a quien te haga daño, pero no te pongas jamás a su alcance. Muchas veces nos hieren porque nos dejamos herir, y entonces somos nosotros mismos quienes nos causamos el dolor. Pero si guardamos rencor, resentimiento, odio, ira, rabia, afán de venganza, estamos perjudicándonos en todos los sentidos y desequilibrando nuestros procesos físicos y mentales. No nos lo permitamos; es un pésimo negocio, porque además estamos sufriendo por quien nos ha dañado. Es la mente reactiva la que sigue odiando, fomentando rencor y afán de venganza, con el pensamiento nocivo retroalimentándolo todo. Así el corazón nos libera y la mente se emponzoña. Alguien te hizo daño una vez y tú sigues haciéndotelo durante meses o años o toda una vida. ¡Qué insensatez! Perdona y pasa página. Hay muchas personas maravillosas a las que tratar y con quienes cultivar una relación; pero hay muchas personas aviesas y malévolas, y hace falta que Dios sea lo suficientemente misericordioso para que no nos ponga en su camino.

Debemos protegernos de los perversos, y una manera de hacerlo es no poniéndonos a su alcance, sin odiarlos siquiera. El odio nos ata al que odiamos, al que nos hizo daño. En la transformación interior y la propia realización, que son *leitmotiv* importantes en el arte de vivir, es necesario ir refrenando el odio y liberando la mente de tendencias de venganza o revancha. La mente es una mansión que hay que decorar, limpiar y mantener hermosa. ¿Cómo puede embellecerse con odio o sentimientos similares? Cada uno debe empezar por resolver los problemas de su mente, y una parte de ellos son los sentimientos de rencor, resentimiento, ira y odio. Porque no hay nadie que no haya sido herido o crea haberlo sido, o así lo haya interpretado aun no siéndolo. Si hay algo que uno no debe permitirse es el veneno del rencor, porque, además, la persona que lo despierta puede sentirse muy feliz en tanto que el que lo experimenta, muy desdichado. La visión cabal no deja lugar al rencor. Es una visión inteligente y que nos ayuda a estimarnos también a nosotros mismos. No se estima el que se achicharra en el rencor. Deja ir las aguas sucias y no permitas que el rencor condicione y limite tus poderosas energías de ser. Así reza el Dhammapada: «Verdaderamente felices vivimos sin odio entre los que odian».

La joya de la sabiduría

Era un discípulo malintencionado. En realidad estaba junto al maestro no para aprender espiritualmente, sino para ver si conseguía algunos poderes. Una noche vio como el maestro le mostraba un diamante a otro discípulo y le decía:

—Para mí este diamante, querido mío, es el de la sabiduría, porque me lo entregó mi preceptor al iniciarme hace muchos años.

El perverso discípulo aprovechó una noche en que el maestro estaba dormido para robarle la joya. Después huyó y, creyéndose dueño del saber iluminado, comenzó también a tratar de hacerse con discípulos y a pasar por un liberado-viviente. Consiguió contar con algunos discípulos, pero sin alcanzar un gramo de sabiduría, como neciamente pretendía. Pasado el tiempo, un día se encontró con su antiguo maestro, y éste le dijo sosegadamente:

—Ya sé que te llevaste el diamante, pero no importa, porque un diamante puede volver a conseguirse, pero tú nunca obtendrás la más preciosa de las gemas: la sabiduría. Conquistarla no es tan fácil como robar un diamante.

Comentario

Si se pudiera robar la sabiduría, habría muchos empeñados en ello; pero la sabiduría no se puede tomar por asalto, ni hay ata-

76

jos para llegar a ella, ni mucho menos es posible apoderarse de la misma hurtándola. Se consigue en el propio interior o no se consigue. Tampoco nadie puede comprarla; no hay fortuna en el mundo para pagarla. Puedes ser el hombre más rico y no tener ni un gramo de sabiduría; por lo general, los más ricos del mundo son los que más lejos están de la sabiduría. La sabiduría se consigue mediante:

- el cultivo sistemático de la mente, que se consigue con la meditación sentada, el mantenimiento de una actitud meditativa en las actividades cotidianas, apuntalándola con los pilares de la atención consciente, la ecuanimidad o firmeza de ánimo, el sosiego y la lucidez mental;
- el entendimiento correcto, que nos permite ir disipando las opiniones equivocadas, los estrechos puntos de vista, los patrones y condicionamientos, las falaces interpretaciones o fenómenos de sobreimposición (imponemos nuestros prejuicios o engaños sobre lo que vemos, distorsionando la percepción y el enfoque), el apego a las ideas o a los limitados y personalistas puntos de vista;
- el esfuerzo sostenido para conocernos y realizarnos, activando la visión cabal que permite captar el modo final de ser de todas las cosas, lo cual disuelve los velos de la ignorancia y la ilusión;
- la puesta en práctica y el despliegue de los estados emocionales más sanos y constructivos, como la generosidad, la claridad y la compasión, entre otros, que irán frenando y disipando los estados insanos y destructivos, tales como la avidez, la ofuscación y la aversión u odio;
- la práctica de lo que se ha venido denominando en la sabiduría india los propósitos correctos, a destacar el de renuncia, el de buena voluntad y el de inocuidad. El propósito de

renuncia es la firme determinación de ir renunciando al apego, a los pensamientos, palabras y actos dañinos y malevolentes; a las conductas lesivas; a la codicia y sus derivados. Este propósito es el gran antídoto de la codicia. El denominado «propósito de buena voluntad» estriba en la resolución de cultivar pensamientos positivos, intenciones puras, conductas cooperantes, en suma, benevolencia, que es el antídoto contra la malevolencia. El propósito de inocuidad consiste en cultivar y desarrollar pensamientos puros y amorosos que se conviertan en palabras amables y actos bondadosos, de modo que sea posible refrenar y superar los pensamientos, palabras y actos nocivos, y en general perjudiciales.

El propósito perverso genera palabras y actos perversos, en tanto que el firme propósito laudable va traduciéndose en pensamientos, palabras y actos beneficiosos, que siembran felicidad propia y ajena. Como declaraba Buda —y tantos otros sabios, entre ellos Jesús de Nazaret—, «No eres un hombre noble, un santo, si dañas a seres sintientes. El que cultiva el amor benevolente hacia todos los seres es llamado noble». Y en el Dhammapada leemos: «Si un hombre es celoso, avaro y mentiroso, no es a través de las meras palabras, el aspecto y la belleza como se volverá un hombre de buena voluntad. Pero el que ha superado y eliminado esas contaminaciones y se ha convertido en un hombre sabio, liberado de odio, ése, por supuesto, es un hombre de buena voluntad».

El que sigue la senda del arte del noble vivir, va ganando sabiduría y va obteniendo una percepción especial que por sí misma descarta los pensamientos emponzoñados, la maledicencia y los actos nocivos. Nunca puede decirse que una persona es verdaderamente sabia si alberga malevolencia y no ha desplegado la bondad en su corazón.

Sinceridad

Un rey de muy escaso entendimiento, déspota y supersticioso, hizo una promesa a su ídolo si le concedía un favor. Ésta consistía en captar a las tres primeras personas que pasaran cerca del castillo y obligarlas a adorar al ídolo bajo amenaza de muerte si se negaban a hacerlo.

Al cumplirse su petición, el monarca le pidió al jefe de su guardia que apresara a las tres primeras personas que transitaran cerca del castillo. El jefe de la guardia real se encargó de ello. Las tres primeras personas que pasaron, a las que arrestó, eran un académico, un sacerdote y una ramera. Cuando estuvieron ante el monarca, éste les condujo hasta el ídolo y les ordenó que lo adorasen. Entonces el académico dijo:

—En el ámbito de la doctrina, a esta circunstancia la calificaríamos de «fuerza mayor» y, como tal, el que se ve obligado a asumir esta situación está libre de responsabilidad de cualquier tipo, pues, además, ya hay muchos precedentes al respecto. —Y dicho esto, adoró al ídolo.

Le llegó el turno al sacerdote, que dijo:

—Al ser un representante de Dios, todas mis acciones se purifican automáticamente, así que no cometo ninguna falta. —Y el sacerdote adoró al ídolo.

Finalmente, le tocó el turno a la ramera, que dijo:

—¡Estoy perdida, pobre de mí! Ni tengo formación académica ni privilegios religiosos, así que, majestad, no tengo ninguna justificación para adorar al ídolo. Mátame si quieres.

La actitud de la mujer infundió una especial lucidez al monarca, que la liberó, y ordenó encarcelar al académico y al sacerdote.

Comentario

El ser humano tiene una habilidad especial para justificar (y justificarse) conductas impropias e inadecuadas. Busca el modo de engañar y engañarse; la mente se ha tornado muy sagaz en buscar todo tipo de pretextos falaces a los comportamientos incorrectos. Cuanto más erudita, culta o intelectual es una persona, más se sirve de conceptos y teorías para pretextar sus conductas inoportunas, sea recurriendo a creencias, ideas u opiniones, sea tratando de eludir la responsabilidad y de utilizar toda suerte de recursos y autoengaños para evadir la asunción de los errores.

Las ideas, en último caso (¡qué bien lo sabían los sofistas!), pueden barajarse de muchas maneras, y los conceptos pueden utilizarse en las más diversas direcciones. Pero en la senda hacia la expansión de la consciencia y el vivir más pleno, hay que ir reconociendo y superando falsas justificaciones, pretextos falaces y autoengaños, para madurar así interiormente y confrontar intrépidamente y al desnudo actitudes, conductas y reacciones. Se trata de asumir la responsabilidad de las mismas y reconocer cuándo han sido equivocadas, ya que todos tenemos derecho a equivocarnos y también a rectificar. Los errores y las rectificaciones, cuando se acometen con consciencia, lucidez y sentido de la responsabilidad, forman parte del precioso aprendizaje de la existencia en busca de un estado anímico más equilibrado, armónico y apacible. Las ideas, los conceptos y las opiniones se pueden utilizar como monedas falsas que uno da a otras personas para engañarlas.

El difamador

Era un enredador por naturaleza a quien le gustaba calumniar, difamar y sembrar discordia. Un día conoció a un hombre bueno que impartía enseñanzas místicas a los demás. Desde la tarde en que le escuchó, se dedicó a desprestigiarlo diciendo:

—No es que sea mala persona, no, pero carece de cualquier brillantez u originalidad. Al parecer, siempre repite lo mismo. Se limita a decir lo que tantos otros maestros han dicho. Es un hombre muy mediocre; un verdadero infeliz. De él poco se puede aprender.

El preceptor le hizo llegar una invitación, que el difamador aceptó. Una vez estuvo cómodamente sentado, el mentor trajo una taza de té y se la dio al invitado para que bebiera. Cuando éste probó el líquido, notó que tenía un sabor horrible y que le abrasaba el paladar. Resoplando, se quejó:

—Pero ¿qué maldita pócima es ésta?

El mentor le dijo:

—Es té.

—Pero ¿qué asquerosa clase de té?

El maestro, sosegadamente, le explicó:

—Como tengo entendido que te gusta lo original y no las recetas repetidas, te he preparado un té especial, añadiéndole pimienta, chili y guindilla. Un té como el de siempre te hubiera resultado mediocre, ¿verdad?

Comentario

Todo está dicho, aunque muy poco esté hecho. La enseñanza es una, aunque se imparta con palabras diferentes según los maestros, las épocas y las latitudes. La enseñanza permanece, como el calor está permanentemente en el fuego. Siempre están aquellos que no tienen oídos para la enseñanza o son refractarios a la misma, la menosprecian o incluso tratan de amordazar con los métodos que fuere a los que noblemente la imparten. Y están aquellos que por sistema tratan de desprestigiar o difamar a los verdaderos mentores recurriendo a toda clase de descalificaciones. En este mundo nadie está a salvo de los malevolentes, pero aun así, en el arte del noble vivir hay que ser paciente entre los impacientes, pacífico entre los hostiles, veraz entre los embusteros, desapegado entre los ávidos, amoroso entre los adustos, custodio de la enseñanza entre los que tratan de enlodarla. Un ser humano sin la enseñanza no es nada. Y la verdadera y milenaria enseñanza no sabe de dogmas, ni credos, ni prejuicios, ni mucho menos de instituciones. La enseñanza es anterior e independiente de cualquier religión organizada, de cualquier institución fosilizada. Se basa en la genuina ética, el cultivo mental y emocional y el desarrollo de la sabiduría; abre una vía hacia la paz interior y la compasión. Es un regalo.

Pero hay personas que prefieren el lodazal al vergel. Y además vituperan a los que aspiran al vergel. De cualquier modo, no hay nadie en este mundo, ni la persona más pura, que no sea insultada y descalificada por las afiladas lenguas de los maledicientes.

Lo esencial y lo trivial

Un hombre se perdió en el desierto. Al cabo de unos días, y a punto de morir de sed, vio que una caravana se aproximaba. Como pudo, llamó la atención de los viajeros, que, presurosos, se dirigieron hacia el necesitado. Éste, con un hilo de voz, apenas pudo decir:

—Aaaguaa...

—Pobre hombre, parece que quiere agua. Rápido, traigan un pellejo —reclamó uno que parecía el jefe.

—Un pellejo no, por Dios —interpeló otro—. No tiene fuerzas para beber en un pellejo, ¿no se dan cuenta? Traigamos una botella y un vaso para que pueda hacerlo cómodamente.

—¿Un vaso de cristal? ¿Estás loco o qué te pasa? —protestó otro de los presentes—. ¿No ves que lo cogerá con tanta ansia que puede romperlo y dañarse? Traigamos un cuenco de madera.

—¡Aaaguaa! —susurró el moribundo.

—Creo que ustedes se han vuelto locos —agregó un cuarto hombre—. ¿Es que acaso no recuerdan que tenemos un vino excelente? Siempre podrá reanimarlo más que un vaso de agua caldosa. ¡Traigamos el vino!

—¡Aaaguaa! —imploró el sediento con sus últimas fuerzas.

—Seguro que el desierto les ha hecho perder a todos el juicio. ¿Cómo vamos a darle vino sin saber si este hombre es musulmán? Estaríamos obligándolo a cometer un pecado.

—Preguntémosle antes si es religioso —solicitó otro.

—Pero ¿es que de verdad piensan darle de beber aquí a pleno sol? Antes tenemos que ponerlo a la sombra; yo tengo ciertos conocimientos de medicina y les digo que este hombre está agotado y arde de fiebre.

—Llevémoslo a la caravana y pongámoslo en una cama —intervino otro de los presentes.

A los mercaderes no les dio tiempo a discutir más: aquel hombre acababa de fallecer entre sus brazos.

Comentario

Todos nos comportamos con nosotros mismos de una manera parecida a la de esos insensatos viajeros, que ponen el acento en lo trivial y descuidan lo esencial, que atienden lo que no se debe atender y no atienden lo que debería ser atendido. Así consumimos la vida «jugueteando» con lo insustancial, y no centramos nuestras mejores energías en lo primordial. Y entre lo fundamental debería figurar nuestro desarrollo propio y hacer la vida lo más armónica posible, evitando ajetreos inútiles, conflictos, enredos, boberías y mezquindades. Es muy importante tomar la dirección correcta y no convertir la vida en una confusión perpetua.

También es esencial conocerse, mejorarse y perfeccionar la relación con las demás criaturas. Parte de la energía debe invertirse en satisfacer necesidades básicas y mejorar la calidad de vida exterior; debe ponerse voluntad, sin dejarse atrapar en la tupida red de lo trivial, en mejorar la naturaleza anímica, en potenciar los más preciosos recursos de la mente y del corazón, así como una consciencia plena, y en desenvolver la compasión. Consciencia y compasión configuran a una persona realmente sabia.

La vida se convierte en medio para emerger de la esclavitud de la ofuscación. Urge y es esencial no añadir sufrimiento al sufrimiento y aprender a aliviar el dolor propio y ajeno.

Hay dos tipos de sufrimiento: el inherente a la vida y sus vicisitudes y el que genera inútilmente la ofuscada y neurótica mente humana. Nadie puede escapar a las vicisitudes vitales, pero sí se puede poner los medios para modificar los modelos mentales que tanto sufrimiento innecesario nos producen a nosotros y a los demás. Si la sabiduría india insiste en el despertar de la consciencia es para poder disipar, a través de su iluminadora influencia, la ofuscación mental que genera avaricia y odio y, por tanto, tanta desdicha. Mientras nos dejemos condicionar por las raíces negativas de la mente, no podremos hallar verdadero contento ni genuina afectividad; pero en la medida en que vayamos desentrañando el lado insano de nosotros y lo vayamos transformando, estaremos más capacitados para liberarnos de mucho sufrimiento mental, e incluso para no ser tan desmesuradamente reactivos a los impactos externos, no añadir dolor al dolor, ni tensión a la tensión.

Una persona equilibrada engendra menos sufrimiento mental y, además, al no reaccionar tan desmedidamente, se evita muchas fricciones y aflicciones vitales. Nadie puede evitar los impactos dolorosos que a menudo la vida produce, pero sí la desmesurada reacción ante ellos, para mantener la mente más ecuánime y firme y, por tanto, para ser más comedidos con la afectividad, aunque no menos sensitivos y sensibles. Debemos instalarnos en una disciplina de autoconocimiento y autodesarrollo, y saber que ello es esencial y que, empero, infinidad de actividades que tanto nos acaparan son triviales y en nada cooperan en la evolución de la consciencia. Éstas, muchas veces no le dan sentido a la vida y no pueden ser los puntales del arte de vivir. Hay que movilizarse para cuidar de uno mismo y de los demás, y eso sólo es posible si se ponen medios para desarrollar todos los factores de madurez y para relacionarse más armónicamente con los que nos rodean.

La vida es una experiencia que puede vivirse desde distintos niveles de consciencia y desde modos diferentes de reactividad interior. El que no atiende a su propia evolución y pone sus energías e intereses en lo superfluo y banal no progresa. Pero para poder ser auténticos y desarrollar la inteligencia primordial y el estado de vigilia, se tiene que aprender a encauzar muchas fuerzas internas, sin reprimirlas ni mutilarlas. Por eso la disciplina consciente y adoptada libremente es esencial, porque constituye un entrenamiento para no atarse a lo que aun siendo muy banal atrapa y esclaviza, y también para poder arraigarse poco a poco en la consciencia clara e inafectada que sabe percibir con máxima intensidad sin vincularse y, por tanto, sin identificarse con algo y sin adquirir penosa servidumbre. Todos estamos sedientos de equilibrio, sosiego, contento y dicha; sin embargo, no nos decidimos a saciar con la debida urgencia nuestra sed de hijos pródigos que se sienten exiliados de su propio hogar interior. Por un lado es necesario emprender con ánimo presto el retorno a la cristalina y pacífica naturaleza interior y, por otro, esforzarse diligentemente, pero sin extremarnos, para desarrollar lo que en nosotros todavía se encuentra semidesarrollado.

Buda exhortaba a sus discípulos diciéndoles: «Vigilad, estad atentos, sed disciplinados, reunid vuestros pensamientos, cuidad vuestra mente». El cuidado de la mente es una de las prioridades vitales que deberíamos asumir. El perfeccionamiento y la armonía sólo son posibles para los que se lo proponen. Muchas veces consumimos la vida «jugueteando» de aquí para allá, neciamente, alicaídos y hastiados, sin siquiera divertirnos, o con un magnífico sentido lúdico de la existencia, persiguiendo como sabuesos hambrientos un placer que se nos escapa, y añadiendo, por nuestra falta de visión clara, sufrimiento innecesario al sufrimiento. No es un juego creativo y fértil, sino un absurdo «jugueteo» insustancial que al final nos encadena, entorpece y apena. El progresivo descubrimiento y armonía interior procura deleite, y ese deleite crea sentido del humor, carácter afable y reconfortante sonrisa. Pero muchas personas, por atender lo trivial y no tomar consciencia de lo esencial, arrastran toda su vida muchos fardos innecesarios y que están muy cerca de uno mismo: en el interior de la propia mente.

Desprendimiento

Un hombre que en su día había sido una persona acaudalada había encontrado la paz en la simplicidad de la vida. Se lo dejó todo a sus hijos y se instaló en una casita en el campo para dedicar los últimos años de su existencia a meditar. Tenía lo imprescindible: algún mueble, un jergón, algunos utensilios para la comida y poco más. Paulatinamente había ido reduciendo sus necesidades y cada vez se sentía más contento. Una mañana salió a pasear y de vuelta a su casa vio a un ladrón que estaba cargando todas sus pertenencias en una carreta. Entonces echó una mano al ladrón en su tarea, hasta que dejaron la casa totalmente vacía. El ladrón se dejó ayudar de buen grado y luego preguntó:

—¿Y tú quién eres? ¿Otro ladrón?

—No —dijo el hombre con ecuanimidad—; soy el propietario. Pero, claro, la casa no te la puedes llevar en la carreta —sonrió.

El ladrón se asustó.

—No te preocupes —dijo el hombre—. Nada traje a este mundo y nada podré llevarme. Vete en paz. Y que lo disfrutes.

Comentario

Muy pocos seres llegan a tal grado de desprendimiento y superan las tendencias vigorosamente acaparadoras y posesivas del

89

ego, pero toda persona puede irse ejercitando para desplegar su generosidad y limitar sus inclinaciones de apego, aferramiento y posesión. No es un trabajo fácil, porque la codicia está profundamente arraigada en la mente humana. Sólo mediante el trabajo interior, el discernimiento claro, la percepción real de la falta de permanencia y la compasión se puede llegar al desprendimiento, al afecto incondicional y desinteresado y a la verdadera generosidad. Hay que estar alerta ante las tendencias aferradoras del ego y tratar de mitigarlas y, asimismo, recrear el propósito de renuncia a la avidez y la posesión, estimular los pensamientos de desprendimiento. La generosidad es un estado sublime y el antídoto contra la avidez, la avaricia y el apego. La persona generosa está siempre presta a cooperar con el que la necesita y sabe dar aliento, tiempo, medios y proximidad reconfortante.

La superación de la codicia es uno de los logros más necesarios para practicar el arte de vivir, porque este ansia crea mucha tensión, inseguridad, desconfianza, apego, obsesión, malas relaciones y, en suma, aflicción. El desprendido es mucho más feliz, está más sereno y libre de preocupaciones, no pretende rentabilizar la vida y vive más plena y sosegadamente. El avaro sufre y puede llegar a la mezquindad más grotesca. Para superar la codicia también es útil meditar sobre la muerte (es cierta, imprevisible, irreparable, nos lo arrebata todo...), indagar en la provisionalidad del ego, percibir la transitoriedad, cultivar la cualidad opuesta, es decir, la generosidad, pues como la luz disipa la oscuridad, la generosidad disuelve la codicia. El desprendimiento es hermoso, afloja y distiende, abre y expande, nos reconforta y nos hace fluir; en tanto que la codicia es desagradable, tensa y estanca, nos enquista y obsesiona, nos hace mediocres.

Se trata de aplicar la comprensión clara y el entendimiento correcto para saber soltar las cosas, y no sólo asirlas y aferrarse a ellas. La vía de la generosidad es una de las más difíciles de seguir, pero también una de las más hermosas y fértiles. Esa senda del desprendimiento ha sido propiciada por todas las mentes cumbres de la humanidad y representa un aliado muy poderoso en el desarrollo propio y en la madurez emocional. Los denominados ejercicios de percepción no reactiva, que son ejercicios de meditación muy antiguos e importantes, van combatiendo con gran eficacia la avidez en todas sus formas, la cual es también un marcado apego sensorial. Hay que ir eliminando lenta y pacientemente las condiciones que hacen que la avidez nazca, se desarrolle e intensifique. Trabajar intensamente la mente es esencial, y en este orden la meditación es como una operación quirúrgica de la mente para eliminar el «pus» del subconsciente. La atención juega un papel destacado en este proceso de transformación y nos ayuda a vigilarnos, descubrir y mitigar las tendencias de codicia y apego. De ahí que el sabio Santideva aconseje: «Nunca se debe permitir que la atención abandone las puertas de la mente. Y si las ha dejado, debe ser instalada allí recordando las miserias de los mundos de aflicción». El mismo también declara: «Si la atención monta guardia a las puertas de la mente, la clara comprensión se unirá a ella, y una vez que llegue, nunca se irá». El esfuerzo consciente también es de utilidad, pues nos ayuda a refrenar esas tendencias, muy mecánicas, ciegas e inconscientes, y a poder resolverlas poco a poco. La codicia es una de las ataduras más fuertes de la mente, como la generosidad es uno de los elixires más sublimes.

Malevolencia

En un cristalino arroyo de montaña, un cordero comenzó a saciar su sed. Un tigre que andaba por allí cerca, unos metros más arriba, dijo:

—Estúpido cordero, ¿por qué enturbias el agua de mi arroyo?

—Pero, tigre, ¿cómo voy a enturbiar el agua de tu arroyo si yo estoy más abajo que tú? Eso es imposible —repuso el cordero.

—Pero lo hiciste ayer.

—Ayer no estuve aquí, te lo aseguro —replicó el cordero.

Entonces el tigre dijo:

—En ese caso, no cabe duda, fue tu madre.

—Mi madre murió hace mucho tiempo, tigre.

—¡Ah!, seguro que entonces fue tu padre.

—Por desgracia —dijo el cordero— no he conocido a mi padre.

—Bueno, bueno —dijo el tigre—, pues fue tu abuelo o tu bisabuelo.

Entonces se lanzó sobre el inofensivo cordero y lo devoró.

Comentario

No hay razonamientos que valgan para el malevolente, no los hay. En este mundo, sin duda, predominan las personas benevolentes, pero los malevolentes por lo visto se organizan mucho mejor, y su energía de destrucción es capaz de anegar muchos espacios. Las pulsiones de muerte, el instinto de destrucción de las personas hacen bondadoso al animal más fiero. Son reacciones enfermas que tratarán de devorarnos a poco que nos descuidemos, ciertamente. Algunas de estas personas que viven siempre de espaldas al arte del noble vivir se convierten en el peor dictador y tirano para sí mismas, y son capaces de perjudicar la vida de millones de seres. No conocen fuego superior a su odio, y necesariamente crean aflicción, con lo cual se convierten en un grave lastre para el progreso de la humanidad. La asociación con tales «personas» siempre es peligrosa, y todos los grandes maestros, todos, han prevenido contra las mismas. Buda aconsejaba: «Si hallas un hombre inteligente, sabio, con conocimiento, consistente, responsable y noble, con un hombre tal, virtuoso e inteligente, debe uno asociarse, como sigue la luna el sendero de las estrellas».

A los seres dañinos hay que evitarlos con sagacidad. No permiten a los demás ser libres, y detestan la dicha ajena, porque ellos no han saboreado jamás la dicha verdadera. Tienen una gran capacidad para asociarse entre ellos, detentar el poder y esconderse tras instituciones en apariencia incluso respetables. Hay que despejar la visión y el discernimiento para verlos e intuirlos. Tienen poder, sin atisbo de sabiduría, y nada es más grave que eso. Jesús siempre los desenmascaró, y Buda, Lao-tsé y Mahavira hicieron otro tanto. Son personas que ni una sola vez han puesto la planta del pie en el sendero de la virtud, y oscurecen la luz del planeta con su malevolencia y atroz egoísmo. Se enlodan en la corrupción y tratan de estrangular lo más hermoso del mundo: la compasión y la benevolencia.

En la senda del arte del noble vivir hay que ser conscientes de la realidad dolorosa de que hay personas dispuestas a lo peor por su propio provecho, y que es signo de habilidad e inteligencia tratar, hasta donde sea posible, de no asociarse con ellas ni ponerse a su alcance. Pero esos malevolentes son su propio castigo (y como diría Gurdjieff: «¿Qué peor castigo puede haber?»), y aunque con nuestra limitada perspicacia no podamos verlo, como declaraba Buda, es cierto que «quienquiera que hiere a una persona inocente, pura y sin falta, aquel mal se vuelve contra ese necio, así como el polvo que se ha lanzado contra el viento». Y también: «Ni en los cielos ni en medio del océano, ni en una gruta en las montañas se halla un lugar donde uno pueda permanecer a salvo de las consecuencias de sus malos actos».

La falacia de la interpretación

Una vez un monje mendicante llegó a un monasterio en busca de alojamiento. Según la tradición, lo normal era entablar con el recién llegado un debate sobre los distintos aspectos de la doctrina, en el que se ponía a prueba tanto al huésped como a los monjes. Pero aquel día todos estaban muy cansados, así que el abad decidió que el debate corriera a cargo de un monje que, además de tuerto, tenía pocas luces. Y el abad decidió aconsejarle así:

—Como no tienes mucha facilidad de palabra, procura que el debate se haga en silencio, y además intenta que sea lo más corto posible.

A la mañana siguiente, el abad se encontró con el visitante, que ya partía:

—¿Qué tal fue el debate?

—Puedes sentirte satisfecho de tus monjes, pues aunque él dijo ser el más torpe de todos, confieso que me derrotó claramente por su elevada comprensión de la doctrina budista.

—Cuéntame cómo se desenvolvió —rogó el abad.

—Para empezar levanté un dedo, queriendo expresar al Buda. Él contestó levantando los dos dedos, haciéndome ver que una cosa era Buda y otra sus enseñanzas. Entonces yo levanté tres dedos, haciendo referencia al Buda, sus enseñanzas y su comunidad de monjes. Pero a continuación lanzó su puño contra mi cara, haciéndome entender así que todo forma parte de una comprensión única y definitiva. No supe qué contestar, así que, derrotado, me marcho de tu monasterio.

Instantes después apareció el monje tuerto y el abad le pidió que le relatase lo ocurrido durante el debate. El monje dijo:

—Ese hombre era un maleducado y empezó levantando un dedo recordándome que yo sólo tenía un ojo; fui benevolente y levanté los dos dedos en señal de que él afortunadamente gozaba de dos ojos, pero insistió en el insulto al levantar los tres dedos para mostrarme que entre él y yo teníamos tres ojos, por lo que le di un puñetazo. Entonces se levantó y se dio la vuelta sin decir nada.

Comentario

Entre los seres humanos son comunes las situaciones babélicas. Existen innumerables idiomas, por cada ego, los cuales compiten, guerrean, se hacen daño, se someten y se explotan. ¡Qué hermoso espectáculo! Millones y millones de egos enzarzados en peleas, insultos, difamaciones, guerras... La mente está velada por sus actitudes egocéntricas, reacciones neuróticas y falaces interpretaciones. ¿Qué se puede esperar de mentes tan oscurecidas? No otra cosa que aflicción y más aflicción, ofuscación sobre más ofuscación. La mayoría de las personas no sigue, pues, el arte del noble vivir, sino el arte de malvivir, querellarse, crear conflicto, desarmonizar y desarmonizarse. Si no hay calma, orden y claridad en la mente, las cosas no pueden ir bien, ni dentro ni fuera del individuo. ¡Y así discurren! Como en la mente hay guerra, existen más de cincuenta focos bélicos en el planeta; como en la mente hay avidez y odio, la sociedad está impregnada de avidez y odio, y sólo impera la orientación hacia la acumulación y la ira.

Por un puñado de conceptos las personas llegan a denigrarse e incluso a matarse; por falaces interpretaciones y equívocos se llega a los insultos y a las manos. Hay que ir liberando el pensamiento de malevolencia, ira, apego, envidia y celos para que pueda llegar a ser correcto, creativo y constructivo. El trabajo de la mente en este sentido es de suma importancia, porque las opiniones erróneas y los enfoques equivocados conducen muchas veces al desastre, y provocan irreparables conflictos y fricciones incluso entre seres queridos. En la medida en que la mente es ejercitada a través del cultivo de la atención pura y la meditación, va superando muchos de sus velos y va esclareciendo la percepción y la visión, por lo que entonces no se da apego a las ideas. Así se supera la opinión incorrecta y se pueden tener puntos de vista más diáfanos que no induzcan al conflicto, la neurosis y la malevolencia.

Hay que proponerse sanear la mente, liberarla de trabas y oscurecimientos que creen opiniones erróneas y que encima pretendan imponerse sobre los demás. Esas trabas nos impelen a ser irascibles, impositivos, autoritarios y crueles. Si se tiene visión clara, uno se da cuenta de que mucha de la codicia y el odio del mundo nace también de la propia mente, y que ésta se debe ir cuidando y saneando, porque uno siempre es dueño y responsable de sus palabras y actos, y de uno depende que éstos sean para bien o para mal. Si existe una visión clara y por tanto las ideas son más equilibradas, se ponen los medios para evitar la desdicha propia y ajena; está claro que nada urge tanto como liberarse de pensamientos, palabras y actos envenenados y contaminados. Así uno aprende a abstenerse de herir a los demás y a poner los medios para reportar dicha propia y ajena; con el equilibrio también se ejercita la eliminación de lo que es pernicioso en uno y se cultiva lo provechoso, anímicamente hablando.

Se debe poner la voluntad al servicio de la mejora interior y así poder adquirir el saludable dominio sobre la mente, las palabras y las acciones, para mejorar la calidad de vida ética, mental y social. La sabiduría presupone una visión clara que desencadene pensamientos y proceder correctos, a la luz de la consciencia y la volición, y no de trabas como ofuscación, odio, celos, envidia, rabia y tantas otras que condicionan mente y cuerpo. El ejercicio asiduo de la meditación y la actitud correcta en la vida cotidiana (basada en la atención consciente, la ecuanimidad, el sosiego, la lucidez y la compasión) van erradicando las causas de una gran masa de sufrimiento. La senda hacia la paz interior pasa siempre (como ya insistimos en *El libro de la armonía*)* por la reeducación de esta mente que tan dada es a falaces interpretaciones, engaños y equívocos.

* Publicado por Martínez Roca.

De solicitar a brindar

Un rey había fijado unas horas determinadas al día para que cualquier súbdito pudiera disfrutar de audiencia. Una mañana llegó un anacoreta y pidió verle fuera de las horas marcadas para la audiencia. Los guardias se burlaron de él y le preguntaron si conocía la ley. El anacoreta contestó:

—La conozco perfectamente, pero es válida sólo para aquellos que quieren pedir al monarca cosas que ellos mismos necesitan; yo, en cambio, quiero hablar con el rey sobre las cosas que el reino necesita.

Comentario

El mundo no está dirigido, gobernado y orientado por los más nobles, lúcidos y compasivos, bien al contrario. Jesús lo dice muy bien: «Ciegos dirigiendo a otros ciegos y al final todos se despeñan». ¿Qué se puede esperar del reformador si no ha reformado su mente para que ésta se haya librado de la ofuscación, la avaricia y el odio? ¿Y del revolucionario, si éste se aferra a sus ideas para imponerlas a los demás y en su corazón sigue habiendo corrupción e ira? ¿Y de esos dirigentes cuyas consciencias están mucho más embotadas que las de los dirigidos y, establecidos en el poder y en la macroorganización instituida, aprovechan para desplegar todas sus fuerzas codiciosas y hostiles sobre las indefensas personas, y más que dirigir manipulan y esquilman? Hubo algunos monarcas y reyes en la Antigüedad que realmente se dejaban orientar por sabios, en cuyo ánimo ya no había la menor sombra de afán de poder o codicia. Pero la tarea más excelsa es aprender a dirigirse lúcidamente, disminuir las tendencias de avidez y de aversión y aprovechar la vida para dar lo mejor de uno mismo. En cuanto a los dirigentes, su labor debería ser servir, no explotar ni engañar noblemente a aquellos que ponen su confianza en ellos y que, a menudo desilusionados, encuentran que, como dice el antiguo adagio, «la tarta oculta la daga».

Sin impacientarse y sin abandonarse, hay que dejarse inspirar por las enseñanzas de los sabios para no perder ni un minuto y aprovechar la existencia para obtener lo mejor de uno mismo. A menudo me apoyo en unos versos de la gran mística hindú Mirabai para reflexionar, que pueden servir al lector:

La vida crece y decrece de manera imperceptible,
y es muy fugaz.
Una vez caída, una hoja
no puede volver a la rama.
He aquí el océano de la existencia cíclica
con su rápida e irresistible marea.
¡Oh, amado Señor!, guía mi alma,
conduce con rapidez mi barca a la más lejana orilla.
Mira es la esclava del amado Señor,
y dice: «La vida sólo dura algunos días».

El sadhu hambriento y sediento

Era un sadhu errante, como tantos hay en la India. Tenía mucha hambre y mucha sed cuando llegó a un pueblo, y en la plaza pública ofreció un sugerente sermón que versaba sobre las venturas de los santos en el cielo. Finalizado el sermón, una mujer muy rica le preguntó:

—Todo lo que has contado me ha interesado mucho, pero hay algo que me preocupa. ¿Puedes decirme qué es lo que comen y beben esos santos en el cielo?

Y el sadhu repuso:

—Mujer, me preguntas qué comen y beben los santos en el cielo y no se te ocurre preguntarme qué es lo que como y bebo yo en la tierra.

Comentario

Miramos tan lejos que no vemos lo que nos es más cercano; tanto nos preocupamos por los supuestos que no nos ocupamos de lo que nos tendría que preocupar en el momento; de tal modo nos extraviamos en el laberinto de las conjeturas, que desatendemos lo más esencial en el momento preciso. La imaginación tiene un lado muy fecundo y creativo que hay que cultivar, sobre todo en la esfera del arte, la amistad, el amor y la vida misma, pero tiene un lado oscuro y neurótico, pernicioso, que hay que vigilar y reencauzar. La mente tiene una propensión a ocultar la realidad del momento y enredarse en acrobacias y divagaciones. Se trata de resolver lo que sucede en cada momento y no permitir que la mente se extravíe por derroteros insustanciales. Ello es una disciplina que se debe llevar a cabo. La realización no se acomete divagando o dejando que la imaginación esté errante de forma insensata, sino abriéndose a cada instante y ocupándose de lo requerido. La propensión a evadirse de la mente es muy recalcitrante. No es fácil gobernar esas tendencias tan extravagantes del pensamiento y la imaginación, que crean una ignorancia o resistencia de lo que más urge o es prioritario en el presente. El aprendizaje vital se realiza en cada momento, atendiendo lo que en todo instante o situación debe ser atendido.

El símil de la mansión

En una gran mansión con numerosos criados regentados por un mayordomo, el dueño emprendió un día un prolongado viaje. Entonces el mayordomo se emborrachaba todos los días, entrando en un estado de inconsciencia, en tanto que cada criado hacía lo que le venía en gana y, unos por otros, la casa se iba convirtiendo en una ruina.

Comentario

Éste es un símil muy antiguo y significativo que pone en evidencia hasta qué punto reina el caos, la confusión y el descontrol en la mayoría de los seres humanos. En tanto no seamos capaces de lograr que regrese el dueño de la casa (nuestra propia identidad fugada), consigamos que el mayordomo (la consciencia) esté sobrio, lúcido, consciente y sereno y pueda dirigir, con la voluntad presta y sabiamente, a los criados (impulsos, hábitos, reacciones, instintos, emociones y pensamientos), para evitar que la casa (el cuerpo y el cuerpo energético) se convierta en una ruina.

La vida nos ha entregado unos instrumentos, que son el cuerpo, la mente y las energías que los animan. Todo lo que nace tiende a morir; todo lo compuesto se precipita en la descomposición. Sin embargo, mientras sea posible, debemos atender con sabiduría los instrumentos vitales que se nos han dado, evitar su degradación anticipada y utilizarlos como aliados en la búsqueda de la comprensión clara y la paz interior. Bastantes complicaciones tiene la vida como para añadirle más por una degradación prematura de nuestra organización psicosomática. Sin obsesiones ni apegos, porque habrá que soltar este cuerpo como el que abandona unos zapatos raídos, debemos, empero, poner los medios para cuidar nuestra corporeidad y nuestros órganos psíquicos. Este adecuado cuidado también forma parte de la senda del arte del noble vivir, porque un cuerpo y una mente sanos y armonizados nos reportarán energías extras para poder ser encauzadas noblemente.

Hay que tratar de mantener en armonía nuestros principios vitales en el cuerpo, es decir, los elementos que lo configuran, e incluso convertir esta corporeidad (el templo de Dios, para los antiguos sabios hindúes) en un medio para dominar la mente y encauzarla hacia la serenidad. Tal es la finalidad del yoga psicofísico, que con sus métodos excepcionalmente fiables y precisos se encarga de regular con asombrosa precisión todos los humores orgánicos y servirse del cuerpo, sus energías y funciones, para ir conquistando la consciencia. Es necesario aprender a equilibrar la respiración, la alimentación, el descanso, el sueño y la mente. En un texto tántrico, el Kularnava, leemos: «Uno mismo es el que debe protegerse. El cuerpo es el recipiente que todo lo contiene. Debemos esforzarnos por protegerlo. De lo contrario, la realidad no podrá ser percibida. [...] La aldea, la casa, la tierra, el dinero, incluso el karma favorable y desfavorable, pueden obtenerse una y otra vez; no sucede así, en cambio, con el cuerpo humano».

La corporeidad es muy apreciada en el yoga y se convierte en herramienta liberatoria. El cuerpo tiene muchos tesoros que recuperar y, por fortuna, hay técnicas para ello. El gran místico Ramakrishna señalaba: «Ese templo, el cuerpo, no debe dejarse a oscuras; se debe encender la lámpara del conocimiento». La corporeidad puede utilizarse como magnífico soporte para el cultivo de la atención pura y penetrativa, así como base para el trabajo superior de la mente. En la misma práctica meditativa, la meditación empieza por el cuerpo, la base de nuestra pirámide humana.

El núcleo esencial de la persona se reviste de una serie de cuerpos o vestimentas regias, o que deberían ser regidas por la consciencia y la volición. Estas vestimentas son el cuerpo energético, el cuerpo emocional, el cuerpo mental y el cuerpo espiritual. La persona puede ejercitarse para armonizar todos esos cuerpos y obtener lo mejor de ellos mientras sea posible; pero para que así suceda, hay que cuidar esos elementos y armonizarlos, pues de otro modo crean tensiones y fricciones entre ellos, embotan la consciencia, se desconectan de su esencia y se arruinan prematuramente. La consciencia juega un papel observador de máxima importancia, y por eso el yogui trata de mantenerla intensa, clara, perceptiva y lúcida. De ahí la constante insistencia de todos los grandes sabios en no utilizar sustancias tóxicas que perturban la consciencia y que no son más que paraísos artificiales. No es, en absoluto, por principios morales de ningún tipo, sino de carácter muy práctico, pues los tóxicos empañan la consciencia y ésta es uno de los grandes dones de la persona, que hay que abrillantar, purificar y amplificar.

Evitando la negligencia y la pereza, hay que aplicarse en el perfeccionamiento de cuerpo y mente. Cuando la organización psicosomática está armonizada, se experimenta plenitud y contento, sin tanta necesidad de estímulos exteriores. La consciencia se torna la soberana del complejo mente-cuerpo. Porque no hallamos bienestar en nosotros mismos ni nos sentimos armónicos y completos, necesitamos imperiosamente encontrarlo en el exterior. Así se desarrolla en el más alto grado la codicia que no tiene fin. El *Bhagavata-Purana* afirma: «Una persona puede satisfacer sus necesidades comiendo o bebiendo, o calmar su ira al comprobar que se ha hecho justicia, pero nunca podrá saciar su codicia, ni aun después de haber conquistado y disfrutado el mundo entero». Porque se cree equivocadamente que si uno no está bien consigo mismo podrá acabar con él obteniendo logros y posesiones en el exterior. Pero no es así. El que se encuentra más a gusto, pleno y satisfecho consigo mismo, no tiene tanta necesidad de hallar fuentes de energía (que no son tales) en el exterior, si bien está mucho más capacitado para disfrutar y celebrar las cosas.

Si los instrumentos vitales son armonizados y cuidados, puede haber mucha energía a nuestra disposición, energía que a veces no sentimos porque la bloqueamos o malgastamos de todos los modos posibles, entre ellos el incesante charloteo mental, las fricciones innecesarias, los bobos apegos y las preocupaciones y obsesiones. Pero la energía es tan importante para un ser humano como el agua para un pez. Hay que saber desarrollarla y acopiarla. En el yoga se concede gran importancia al *prana* o fuerza vital, y muchos de sus milenarios métodos tienen por finalidad reunificar las energías diseminadas y potenciar la fuerza vital, ya que ella anima todos los procesos físicos y mentales. El *Shiva Svarodaya* apunta: «La fuerza vital es, en verdad, la mejor amiga; la fuerza vital es, en verdad, la mejor compañera. Con toda seguridad no existe pariente comparable a la fuerza vital».

La falsa deducción

El popular personaje Nasrudín decidió visitar un día el Lejano Oriente. Así que tomó un avión y partió. Mas he aquí que, en pleno vuelo, el comandante de la nave informó por el micrófono a los pasajeros:

—Lamento indicarles, señores, que llegaremos con una hora de retraso, porque ha fallado uno de los cuatro motores.

Tras un rato de vuelo, el comandante volvió a hablarles.

—Me veo obligado a decirles que en lugar de una hora de retraso serán dos, ya que ha fallado otro motor.

El vuelo continuó. De súbito, otra vez se escuchó la voz del comandante.

—Nuestro vuelo llegará con tres horas de retraso, pues hay fallos en el tercer motor.

Entonces Nasrudín se dirigió a los pasajeros y les dijo:

—Amigos, recemos todos para que no falle el cuarto motor, porque como eso ocurra nos pasaremos el día entero en el aire.

Comentario

Ese tipo de equivocadas deducciones están presentes muy a menudo en el ser humano que, además, se empecina en sus falsos razonamientos y trata incluso de imponérselos a los demás. A menudo lo que parece no es lo que es, o lo que interpretamos no se corresponde con la realidad como tal. De hecho, con mucha frecuencia, y habría que decir que afortunadamente, lo que imaginamos va por un lado y la vida por otro; y digo afortunadamente porque muchas veces la imaginación neurótica nos hace prever cosas que no sucederán nunca. Al fallar el entendimiento, falla la reacción y, en consecuencia, la actitud y los actos. La ignorancia tiende a instalarse en la mente humana y perturba la visión y la reflexión. No es fácil utilizar el pensamiento con corrección y lucidez, y menos librarlo de prejuicios, modelos y contaminaciones. Hay que irse ejercitando para saber escudriñar y discernir, y no estar así tan sujetos a deducciones e interpretaciones falaces y que condicionan nuestras actitudes, intenciones y conductas. El arte del noble vivir, tal como lo han concebido los sabios desde la más remota Antigüedad, valora mucho el discernimiento claro, que da como resultado la sabiduría que sabe discriminar. El discernimiento será más claro, perspicaz y penetrativo cuanto menos embotada esté la consciencia y cuantos menos patrones fosilizados la rijan. El apego a opiniones, los prejuicios, la atención negligente y la apatía oscurecen el entendimiento. El trabajo de la consciencia consiste en ir eliminando los oscurecimientos mentales e ir intensificando la luz de la consciencia y la transparencia del discernimiento.

El magnate

Era uno de los hombres más ricos del país. Poseía compañías navieras, edificios y posesiones en toda Asia. Nada le faltaba. Sus amigos le halagaban constantemente diciéndole cuán apuesto era, qué inteligente, bondadoso y desprendido. Sus empleados le hacían creer que era el más elegante, sabio y erudito. Sus familiares alababan su lucidez mental, su equilibrio y ecuanimidad. Sólo recibía elogios de todo el mundo. Un día se hallaba sentado en un parque y se le acercó un niño que le preguntó:

—¿Sabes cuántos años vivió Gengis Kan?

El hombre no lo sabía, por lo que el niño se mofó de él y le dijo:

—Tan mayor y tan inculto.

Unos días después se topó con un borracho, que le pidió dinero para una copa. Al negarse, el borracho le increpó:

—Llevas un traje muy caro y un reloj de oro, pero eres un tacaño.

Al cabo de unas semanas fue a hacerse un reconocimiento médico y le diagnosticaron una grave enfermedad. El millonario, tras la visita al médico, se sentó en un banco y rompió a llorar. Al poco, un loco se sentó a su lado y le preguntó:

—¿Por qué lloras?

—Porque estoy muy enfermo. Nunca creí que cuidándome como lo he hecho pudiera enfermar.

—¡Estás loco, amigo! No hay nadie que no enferme un día u otro.

El magnate decidió entonces reunir a sus amigos, empleados y familiares, y les dijo:

—Siempre habéis asegurado que era culto, generoso y lúcido. Ahora he descubierto que no tengo ninguna de esas cualidades.

Todos empezaron a alabarle, elogiarle y asegurarle que era el mejor.

—¡Basta ya, estúpidos! —gritó el magnate—. No soy nada de lo que decís.

—Pero ¿por qué dices eso?

—Porque los niños, los borrachos y los locos dicen la verdad. En cambio, todos vosotros sois unos aduladores falsos e interesados.

El magnate cerró todas sus compañías y empresas. Nadie supo dónde se refugió... Tal vez en sí mismo. Pero no permitió nunca más que alguien le engañara con insustanciales halagos.

Comentario

Muy pocos magnates tienen ese «golpe de luz» que les hace corregir sabiamente; muy pocos, pero quiero creer que alguno así habrá en el planeta. Tienen que darse algunas «sacudidas» para que se produzca el bendito cataclismo que nos haga salir de nuestra ceguera y comenzar a comprender. Debe abrirse necesariamente una fisura en la densísima y compacta construcción del ego, para poder ir más allá de los autoengaños y ver lo que no se quería ver ni los otros nos permitían vislumbrar. Si hay un destello, un vislumbre, un «golpe de luz», incluso un magnate puede reaccionar. Pero lo fácil y mecánico es seguir identificándose con los impulsos del ego y hallar egocéntrica gratificación en los halagos, elogios y afirmaciones narcisistas, que nos hacen creer lo que no somos y nos hacen pensar que todo lo podemos y controlamos cuando, ni aun teniendo la mayor fortuna del orbe, podríamos hacerlo.

Ante la muerte todo palidece, y el espanto que la finitud procura debe ser mucho mayor en el magnate, que por su petulancia se creía a salvo de la dama de la muerte. En cambio, la viejecita apacible y desprendida que, por ejemplo, espera la muerte en Benarés no pierde su entrañable semisonrisa y no altera ninguno de sus músculos, porque no tiene temor, aferramiento ni prepotencia. Es Kabir quien nos advierte: «No te sientas orgulloso de tus lujosas mansiones; hoy o mañana la tierra será tu lecho y la hierba cubrirá tu cabeza». Y no menos expresivas son sus siguientes palabras: «No te sientas orgulloso de tu cuerpo, una capa de piel rellena de huesos; aquellos que bajo doseles de oro montaron majestuosos caballos yacen ahora envueltos en la tierra».

El razonamiento del maestro

A los discípulos les gustaba preguntar al maestro acerca de las cuestiones más dispares. Llevaban mucho tiempo viviendo juntos y no sólo lo consideraban agua espiritual, sino un verdadero padre. El mentor era ya muy anciano y, antes de retirarse de la vida mundana, había llevado una existencia muy activa. Una mañana los discípulos se reunieron con el anciano y le plantearon un juego:

—Maestro, te vamos a decir cuatro palabras. Tú escoge la que te parezca más peligrosa y nos la razonas.

El maestro rió cariñosamente:

—De acuerdo —aceptó condescendiente.

—Borracho, loro, perro furioso, hombre rico.

—La más peligrosa, sin ninguna duda, es el hombre rico.

—¿Estás seguro, maestro?

—Totalmente —repuso el anciano.

—Explícanos por qué.

—Imaginad un borracho agresivo por culpa del alcohol. Si le seguís la corriente, le escucháis con una sonrisa y os lo ganáis, su agresividad se tornará cordialidad.

—¿Y el loro?

—Es verdad que hay loros que si te descuidas te dan un picotazo. Pero si les hablas con cariño se aplacan y se vuelven pacíficos.

—¿El perro furioso?

—Depende del talante que uno demuestre. Los perros huelen nuestro miedo y entonces es como si pensaran: «Si éste me tiene miedo, por algo será; voy a morderle». Pero si uno se muestra tranquilo y le silba cariñosamente, terminará por mostrarse amistoso, porque es su naturaleza.

—¿Y el hombre rico?

—Ante muchos hombres ricos la única defensa es no acercarse a ellos. Querrán imponerte sus opiniones, te manipularán, se servirán de su poder para coaccionarte; en unos casos te sobornarán y en otros te presionarán. Querrán que comulgues con ruedas de molino o se convertirán en tus implacables enemigos. Recurrirán a sus influencias para imponerse y salirse con la suya. Siempre encontrarán corruptos a los que comprar e incautos a los que engañar para seguir acumulando riquezas. En verdad nada puede resultar tan peligroso como un hombre rico.

Comentario

¿Qué más puede añadir este comentador al lúcido comentario del mentor? Cuando Jesús dijo que «es más difícil que un rico entre en el reino de los cielos que un camello pase por el ojo de una aguja» no se refería a personas con una buena posición, no, se refería a los verdaderamente ricos. Ellos son otra clase de personas, aunque hay excepciones notables y un reducido puñado de ellos pueden ser sensibles, accesibles, humildes y bondadosos, y utilizar esa energía que es el dinero para cooperar con los demás. Unos pocos, muy pocos, a los que hay que admirar doblemente. La mayoría son otra clase de personas: pagadas de sí mismas, convencidas de su «superioridad», afanosas de que se les rinda pleitesía, inaccesibles, que se envanecen de su estatus y que en su desmedido narcisismo se creen con derecho a todo y que todo pueden controlarlo. Su desesperación es enorme cuando comprueban que también ellos son mortales, cuando el aguijón de la enfermedad se clava en ellos y no hay poder en el mundo para extraerlo. Entonces algunos —los he conocido— rinden su ego, y ese acto de humildad, aunque tardía, los libera; pero lo ideal es rendir el ego antes de que la muerte nos amenace, y saber, como dijera Buda, que sólo hay refugio en uno mismo y no en aquello que acumulamos.

Un rico que sea verdaderamente humilde sí que es rico, sobre todo si sabe utilizar sus medios para que fluyan desprendidamente, y poder así cooperar en el bienestar de los demás. No hay un manual específico del arte del noble vivir para los muy ricos, pero quizá un rico honesto, sencillo, noble, desprendido, accesible y sobre todo humilde (que en algún lugar existirá) debería escribirlo. En el Dhammapada leemos: «Ni un torrente de monedas de oro hace la felicidad levantando placeres sensuales. De pequeñas dulzuras y penas son los placeres sensuales. Conociendo esto, la persona sabia no encuentra felicidad ni siquiera en los placeres celestiales. El discípulo del Buda se deleita en la eliminación del apego».

Las mulas

Había una vez un discípulo que era atrozmente individualista. Hasta tal punto era así que consideraba que las escuelas y comunidades eran innecesarias e incluso absurdas. «Si cada uno tiene que conseguir por sí mismo llegar a la liberación espiritual —se decía—, ¿para qué es necesaria la ayuda de otros?»

Un día le expuso su punto de vista a un maestro y éste le dijo:

—Precisamente quería proponerte una tarea, y ganarás un poco de dinero que te vendrá bien. En mi comunidad hay una roca inmensa que no puedo mover. Me gustaría que alquilases una mula y la cambiaras de sitio.

—Lo haré encantado. Pero a cambio no quiero dinero, sino sólo saber una cosa: ¿son necesarias las escuelas espirituales?

—De acuerdo. Te contestaré cuando hayas acabado el trabajo.

El discípulo alquiló la mula e intentó mover la roca, pero era tan pesada que el animal no podía con ella. Así que fue a por otra mula, mas tampoco consiguió desplazar la roca. Por último, sirviéndose de media docena de mulas, logró transportar la descomunal piedra. Luego fue a visitar al maestro, en espera de la ansiada respuesta. El mentor le dijo:

—¿Todavía requieres una respuesta cuando has necesitado media docena de mulas para mover la roca que una sola mula no podía?

Al instante el joven comprendió, y el maestro concluyó:

—Cada persona es su propia vía, pero hasta el más intrépido escalador necesita de la ayuda de los otros.

Comentario

Hay cuatro modos de relacionarse con las otras personas y hay que descartar las tres conductas neuróticas (afán de dominio, docilidad mórbida y dependencia, y simbiosis), y así estimular la conducta verdaderamente sana de relación y que nos capacita para, desde la interdependencia, crear lazos de genuina cooperación. Nadie es totalmente independiente en el exterior, nadie, porque necesitamos al lechero y al panadero, incluso al sepulturero. La independencia se labra en el interior; en el exterior todos debemos ser «mutuantes», es decir, prestarnos colaboración y ayuda. Cuando éramos niños necesitamos la ayuda de nuestra madre, y también en las postrimerías de nuestra vida alguien tendrá que prestarnos su apoyo. Todos estamos interactuando. Esta interactuación debe ser consciente, generosa, precisa y un poco más desinteresada. Declaró un maestro: «Yo no sabría decir quién en una carrera es más importante si el jinete o el caballo». Cada uno tiene una función, una forma de vida, una actividad y un carácter, pero debemos mejorar el hermoso juego de dar y tomar, y hacerlo con menos avidez e intransigencia, con un poco más de dedicación y afecto incondicional. No hay nadie que no necesite a alguien. En la relación hay que dejar que fluya el magnífico sentimiento del agradecimiento y hacerlo presente con palabras, actitudes y actos. Aquellos que nada quieren dar y mucho recibir, son más pobres que el más indigente; los que sólo esperan y no se ofrecen, tienen un corazón muy pobre; los que creen que pueden no depender de nadie, son necios que se ocultan una realidad incontestable. Saber tomar es relativamente fácil; saber dar es infinitamente más difícil. Creerse con derecho sólo a recibir, no sólo es una vergonzante inmadurez, sino un colosal egoísmo. Como decía Donn: «Nadie puede formar por sí solo una isla; todos formamos parte del universo y por tanto cuando repiquen las campanas no preguntes por quién lo hacen, porque lo hacen por ti».

Escuchar en lugar de practicar

Ésta es la historia de un discípulo que nunca meditaba; sólo se dedicaba a preguntar sin parar a su maestro. Mas luego no ponía en práctica lo que había aprendido. Era un perezoso, porque prefería escuchar a practicar. El maestro no lograba sacarlo de su indolencia. Un día, el discípulo le preguntó:

—Maestro, ¿qué es la vida?

—Un paseo por lo absurdo —repuso el sabio.

—No lo entiendo —replicó el perezoso—. ¿Cómo va a ser un paseo por lo absurdo?

—Pues entonces es un paseo por lo no absurdo.

—Eso lo entiendo menos.

—En ese caso, amigo mío, es un paseo a la vez por lo absurdo y por lo no absurdo.

—Pero eso es absurdo —se lamentó el discípulo.

—¿Lo ves? Un paseo por lo absurdo —concluyó el maestro.

Comentario

Toda persona con inquietudes, o incluso sin ellas, se pregunta alguna vez el porqué y el para qué de la existencia, o experimenta la íntima angustia existencial de no comprender este prodigioso y sorprendente fenómeno llamado vida, y al que no se

118

le encuentra la lógica, el sentido o el propósito. A veces la vida se presenta como pavorosa; otras como un decorado de inasibles sortilegios. Algunos sucumben a la vivencia de absurdidad de la existencia y se angustian y atormentan, sin dejar de tratar de conocer lo incognoscible y penetrar lo impenetrable. Se quiere conocer el porqué y el para qué de la existencia fenoménica y, empero, son pocos los que anhelan conocerse a sí mismos y buscar el sentido dentro de uno mismo. Aun si la vida es un paseo por lo absurdo, un sueño, un producto de la mente, una tremenda realidad inexplicable, se puede efectuar este paseo con sosiego, cordura, veracidad, afecto, amabilidad, desarrollo de sí, ecuanimidad, vitalidad e incluso contento interior, o convertirlo en una calamidad para uno mismo y para las otras criaturas.

Como declara el yoga Vasishtha: «Es como si estuviéramos en el desierto y corriésemos hacia un espejismo con la inútil esperanza de saciar nuestra sed con sus brillantes aguas». Ya que estamos celebrando este paseo, sea o no por lo absurdo o incluso por el absurdo del absurdo, tratemos de hacerlo lo mejor posible y cuidando de nosotros y de los demás, propiciando palabras y conductas nobles, y tratando de descubrir, hasta donde sea posible, la auténtica naturaleza de las cosas y de nosotros mismos. El paseo por lo absurdo puede llevarse a cabo con atención consciente o con negligencia, con ecuanimidad o con desequilibrio, con visión cabal o con ofuscación, con comprensión clara o con confusión, atendiendo a lo constructivo o a lo destructivo, superando las raíces insanas de la mente o intensificándolas, logrando sosiego o produciendo ansiedad y amargura, ejerciendo benevolencia o malevolencia.

La diferencia es bien notable. Unos pasan por la vida inspirándose en la amabilidad, el afecto, el buen hacer, en tanto que otros son un hervidero de rencor, odio, mal hacer y desorden.

En el paseo por la vida, si nos proponemos desarrollarnos, debemos:

- ejercitar y desarrollar esa preciosa y liberadora función de la mente que es la atención consciente;
- tratar de superar los estados mentales insanos que producen palabras insanas y actuaciones también insanas;
- desplegar cualidades que nos ayuden a nosotros mismos y a los demás, como tolerancia, respeto por toda forma de vida, indulgencia, benevolencia y afecto expansivo;
- superar en lo posible condicionamientos internos y externos para percibir el aroma de la verdadera libertad interior.

Bisuteros y joyeros

Unos discípulos le preguntaron a un sabio:

—¿Qué diferencia hay entre el falso maestro y el verdadero maestro?

—La que puede haber entre el bisutero y el joyero. El primero se sirve del cristal y el segundo del diamante.

—Pero ¿por qué hay discípulos que van al bisutero en lugar de acudir al joyero?

—Muy sencillo. Los que no pueden pagar un diamante van al bisutero; los que pueden pagarlo, van al joyero. Así, el discípulo que no quiere pagar con su esfuerzo, motivación y disciplina va al falso maestro; el que está dispuesto a pagar con su esfuerzo, motivación y disciplina, va al verdadero.

Comentario

Después de haber publicado mi libro *Aprender a vivir*,* muchos lectores me preguntan si eso es posible de verdad. Lo es. La persona es una fuerza en desarrollo continuo y somos seres que aprenden, porque aprendimos a caminar, a hablar, a leer, a escribir y tantas otras cosas. Se puede, por tanto, aprender a vivir

---

* Publicado por Martínez Roca.

y hacer de la vida un fiasco productor de desdicha para uno y para los demás, o tratar de hacer el recorrido de la existencia con actitudes y procederes más armónicos, superando las fuerzas hostiles y potenciando las creativas y constructivas. Del mismo modo que según estén colocadas las bisagras, la puerta abre hacia dentro o hacia fuera, así, de acuerdo a la actitud, se vive de uno o de otro modo en la relación con uno mismo y con los otros; pero, además, la persona que ya tiene sus necesidades básicas cubiertas, es la que debe adiestrarse en el aprendizaje de la vida para cubrir otras necesidades y motivaciones y mejorar así la calidad de vida interior.

Se puede, por supuesto, vivir más diestra, lúcida, consciente y compasivamente. Hay quienes se lo proponen y hay quienes se resignan a su propia necedad, egoísmo y fatuidad. A lo largo de la historia de la humanidad, porque el ser humano es desarrollable y perfeccionable, ha habido muchos métodos y vías para el mejoramiento humano. El yoga ha sido la primera técnica entre un conjunto innumerable que se han desarrollado en todas las épocas y latitudes, como las numerosas terapias mentales o psíquicas contemporáneas originadas en Occidente. Se pueden poner los medios para vivir más noblemente, sin ser tan egoísta, destructivo, dañino y mecánico. Se puede poner el empeño para seguir acumulando odio, celos, envidia, rabia, venganza, ofuscación y codicia, o empeñarse en abandonar todas esas ponzoñas para lograr una mente y un comportamiento más nobles.

Siempre me he identificado con esas palabras del Dhammapada que rezan: «Uno debe refrenar la mala conducta de la mente y controlarla. Abandonando la mala conducta de la mente, uno debe adiestrarse en su buena conducta». Y ello se refiere tanto a la conducta del cuerpo como a la de la palabra. Ninguna persona tiene derecho a dañar a otras; si no coopera, al menos que se abstenga de herirlas y arrojar su propio montón de actitudes nocivas sobre los demás. No es un sabio ni una persona noble, ni siquiera inteligente, el que se emponzoña a sí mismo y a los demás y no aprende a ser menos perjudicial y más constructivo con sus pensamientos, palabras y actos.

Habrá muchos Einsteins que serán unos miserables y muchos analfabetos con un corazón tan generoso y luminoso como el sol. Unos toman el sendero de la calma, la comprensión, la generosidad, la benevolencia, la cordura, la ecuanimidad, el sosiego y la lucidez, en tanto que otros se empantanan en los cenagosos terrenos de la agitación, la intransigencia, la avaricia, la malevolencia, la ofuscación, el desequilibrio, el desasosiego y la confusión. Estos últimos se vuelven un torrente de sufrimiento para ellos y, lo que es peor, para los demás. Pero todo ser humano puede cambiar, mejorar y evolucionar. Unos anhelan la joya de la lucidez y la compasión, para compartirla, en tanto que otros siguen trajinando con banal bisutería e incluso se las arreglan para engañarse creyendo que se trata de valiosas joyas. No hay mayor arte del noble vivir que no ofender ni dañar siempre que podamos evitarlo, y en este sentido es necesario aprender a vigilar lo que es anterior a las palabras y los actos, o sea, la mente, porque como declara Santideva: «Un elefante salvaje en celo no causa tanto daño como el que origina una mente desenfrenada».

El duelo

Debido a un malentendido, un hombre retó a otro en duelo. El enfrentamiento debía celebrarse al amanecer, y como arma se eligió la pistola. En cuanto despuntó el día, los dos hombres se dieron la espalda y caminaron los veinte pasos de rigor. Apenas dados, el retador se volvió con rapidez y disparó contra su adversario, pero éste, que en esos momentos también se estaba volviendo, resultó ileso.

El retador, al ver que la bala había pasado sin rozar a su adversario, no tuvo más remedio que esperar, muerto de miedo, a que su oponente disparase. Sin embargo, ante su sorpresa y la de los testigos, el adversario arrojó el arma a metros de distancia. Temblando aún, el retador corrió hacia su adversario y se deshizo en agradecimientos. Luego le preguntó:

—Buen hombre, no comprendo por qué te has negado a dispararme.

—Es muy sencillo: tenía dos razones para ello.

—¿Cuáles?

—Te las diré con la condición de que nunca vuelvas a retar a nadie. Una es de tipo metafísico y la otra de tipo práctico.

—No entiendo —repuso el retador.

—La primera razón es que, de matarte, hubiera acumulado un gran demérito espiritual y por tanto grandes deudas en este sentido.

—¿Y la segunda?

—La segunda es que si no lograba matarte al dispararte, volverías a retarme y tendríamos que enfrentarnos de nuevo, con lo cual podrías matarme tú a mí.

A partir de entonces los dos hombres se hicieron grandes amigos.

Comentario

La sabiduría tiene un doble carácter: cotidiano y espiritual. Tiene por tanto un doble campo en el que ejercerse: el de la vida diaria y el de la vida interior. Es muy pragmática porque sabe cómo desactivar las situaciones indeseables de la cotidianidad y resolver cualquier tipo de conflicto, al evitar reacciones nocivas que sólo añaden sufrimiento al sufrimiento. Cuando una persona va recobrando la visión clara, esta lucidez afecta a todas las esferas de la vida y no sólo a la anímica o espiritual.

La vida, en su devenir cotidiano, requiere no poca calma y claridad mentales para poder resolver situaciones difíciles y superar contrariedades y circunstancias adversas. La existencia se convierte en una práctica espiritual cuando sabemos enfocarla con la actitud adecuada, del mismo modo que el ejercicio interior desarrolla factores de iluminación que es idóneo trasladar al devenir diario. Si aprendemos a concentrarnos y trabajamos seriamente la concentración, por ejemplo, ésta nos reportará una mente más gobernable e intensa para cualquier actividad, y nos permitirá acopiar energías que antes diseminábamos; si trabajamos la constancia, el sosiego y la ecuanimidad, podremos poner en práctica estas tres valiosas cualidades y disponer así de un carácter más pacífico y a la vez más fuerte y firme, y de una capacidad mayor para acometer una actividad determinada; si bruñimos el «músculo» de la paciencia, podremos hacer gala de esta cualidad tan importante que los antiguos sabios consideraban la «mayor y más difícil ascesis». En suma, con el ejercicio espiritual vamos consiguiendo una fuente de sabiduría que no sólo se convierte en una lámpara para nuestro viaje interior, sino en antorcha para nuestro transitar por la vida ordinaria, con sus acontecimientos favorables y desfavorables.

La obsesión por ganar

Un joven se entrenó tenazmente hasta convertirse en un gran atleta. Como pértiga, utilizaba una larga rama para cruzar los ríos y solía competir con otros en esta prueba, pero no había nadie capaz de ganarle. Sin embargo, se complacía tanto en vencer a todo el mundo que su soberbia crecía como la espuma. Así pues, había hecho correr la noticia de que daría un buen número de monedas de oro al que fuera capaz de saltar más que él. Deseosos de ganar el premio, muchos se le enfrentaron, pero él siempre vencía. No obstante, continuaba sintiéndose insatisfecho. Quería seguir compitiendo, venciendo y alimentando su soberbia. La competición se había convertido en una obsesión. Un buen amigo de la infancia le dijo:

—Debes acabar con esto. No piensas en otra cosa; tu afán por competir te devora.

—Te haré caso, pero debo intentarlo una vez más. Hay un gran río al norte y quiero celebrar un concurso para ver quién puede cruzarlo con su pértiga. Si alguien me vence, le daré la mitad de mi fortuna.

El concurso se convocó. Efectuaron la prueba, con mejor o peor fortuna, todos los participantes. Cuando le llegó el turno a nuestro hombre, éste corrió con todas sus fuerzas, veloz como un gamo, clavó la pértiga en el centro del lecho del río y saltó con su acostumbrada habilidad. Pero entonces la rama que le servía de pértiga se quebró, el atleta se golpeó la cabeza contra una roca y murió al instante.

La rama rota brotó y brotó hasta que originó un bosque maravilloso. El amigo del atleta se convirtió en el guarda del bosque.

Comentario

Del mismo modo que nadie puede gustar siempre a todo el mundo, ni nadie puede poner todas las condiciones a su favor, nadie puede ganar siempre. El ganador, antes o después, también es perdedor, porque en la ganancia está la simiente de la pérdida. Ninguna obsesión es buena, y mucho menos la que nos impele neuróticamente a ganar, vencer, destacar, sobresalir y afirmarnos, puesto que el que en algo triunfa en otro ámbito fracasa, igual que no hay nadie que escape a elogios ni a insultos. La ecuanimidad es la capacidad de mantener el ánimo firme ante la victoria y la derrota, el éxito y el fracaso, la ganancia y la pérdida, tratando, eso sí, de no perder la propia identidad ni cuando nos decantamos hacia un lado ni cuando nos proyectamos hacia el otro, y siendo siempre uno mismo, tanto al vencer como al perder.

Se trata de comprender, asimismo, que a menudo el vencedor genera frustración, amargura y dolor en el vencido, y que el hombre sabio se sitúa más allá de vencer o perder; en cualquier caso, nunca se envanece ni alardea si gana, y trata de no generar enemistades, porque comprende que la victoria de uno es siempre la derrota de otro. Pero, lamentablemente, en una sociedad sólo orientada a la apariencia, el poder y la voluntad de destacar y acumular, la competencia resulta atroz y los niños son educados de esta manera tan perversa. Sin embargo, no hay mayor conquista que la de uno mismo, ni mayor logro que sentirse bien con uno y con los demás y proceder correctamente, tratando de mejorar la calidad de vida exterior sin dañar a los otros y asociando ese progreso al de la vida anímica. El sabio aprende a no identificarse tanto con la ganancia o la pérdida y a valorar sobre todo la acción consciente y desinteresada, cualesquiera que sean sus resultados.

El imitador

Un maestro budista, cuando se le preguntaba qué era el budismo, se limitaba a levantar el dedo índice sin pronunciar palabra. Así evitaba perderse en inútiles abstracciones. Uno de sus discípulos observó durante semanas la extraña respuesta de su mentor. Cierto día, un visitante acudió al monasterio y al no hallar al maestro le preguntó al discípulo qué era el budismo. Éste, en respuesta, levantó el dedo índice; pero el mentor, que no estaba lejos, le vio actuar de ese modo. Luego lo llamó y le preguntó:

—¿Qué es el budismo?

Automáticamente, el discípulo levantó el dedo índice. Entonces el mentor se lo rebanó con una afilada navaja. Casi se desmayó de dolor, pero el discípulo salió corriendo como pudo, mientras el maestro le gritaba:

—¡Detente! ¡Vuelve aquí!

El discípulo obedeció y cuando llegó junto al maestro, éste le preguntó:

—¿Qué es el budismo?

En una acción mecánica, el joven intentó elevar el dedo índice, pero vio que ya no tenía dedo. En ese momento alcanzó la iluminación.

Comentario

En la senda del desarrollo y realización de uno mismo, que conduce al verdadero arte de vivir, no se trata de volverse un «copista», un imitador o simulador, ni seguir la ruta de otros, sino la propia vía hacia la naturaleza auténtica y el comportamiento noble. Cada uno tiene que ir descubriendo y hollando los tramos de su senda, por sinuosa que ésta sea, y no dejarse encadenar por moldes, patrones o reglas fosilizadas. La enseñanza, aun siendo la misma, hay que vivirla como si siempre fuera viva, evitar el riesgo de que nuestra mente la petrifique y se rija por patrones y normas fosilizados, que frenan el desarrollo interior en lugar de propiciarlo. Ése es el peligro de las enseñanzas cuando se instituyen e institucionalizan, lamentable fenómeno que ha venido sucediendo en todas las llamadas iglesias y organizaciones espirituales, sean lamaístas o cristianas. Éstas se han ido fosilizando, con jerarquías y rituales degenerados y cristalizados, liturgias mal explicadas y realizadas mecánicamente, palabras acartonadas de tan repetidas maquinalmente, que más que despertar la consciencia la embotan.

Pero cada búsqueda es única; cada cual debe mantener su independencia interior y tomar lo que crea mejor de los distintos métodos, para crear su propia senda hacia la libertad interior. Se deben superar las tendencias obsesivas y neuróticas de aceptar cualquier cosa sin discernimiento y no incurrir en imitaciones que frenen el propio desenvolvimiento.

Las tres ancianas

Amigas desde la infancia, los años habían ido discurriendo implacablemente y se habían vuelto ancianas. Un día se reunieron a charlar. Una de ellas se lamentó:

—Amigas mías, ¡qué inexorable es el paso del tiempo! Cuánta amargura siento cuando veo mi piel ajada, mis cabellos encanecidos, estos ojos apagados... Mi rostro ha perdido toda su antigua frescura.

Otra comentó:

—Tienes razón. Envejecemos sin remedio. También yo sufro al ver en el espejo mis encías desdentadas, mis ojeras, mis mejillas enjutas y mi cuello fláccido y feo. Me miro en el espejo y ya no puedo reconocerme.

Entonces la tercera amiga declaró:

—Vosotras sí que me dais lástima. ¡Pobres amigas mías! Mentira me parece vuestra ignorancia. Yo también veo lo mismo que vosotras cuando me miro en el espejo. Tenéis razón en que el paso del tiempo es implacable. Por eso el espejo ha ido perdiendo su poder de reflejar con fidelidad; la luna del mismo ha envejecido y deforma lo que refleja. El espejo distorsiona la realidad de mi rostro.

Comentario

La mayoría de los seres humanos tienen una capacidad formidable para tejer una impresionante urdimbre de engaños, autoengaños, evasiones y escapismos. Muchas veces utilizamos nuestros autoengaños, nos negamos a ver la realidad, para huir del sufrimiento que nos produce mirar lo que nos desagrada; pero esa vía de escape se vuelve contra nosotros, porque ello nos impide evolucionar y frena o retrasa considerablemente el proceso de maduración. Se requiere osadía para superar los autoengaños; hay que descubrirlos a través de una observación precisa, atenta, como si se tratara de descubrir trucos de un prestidigitador. Así, mediante la poderosa energía de la observación ecuánime, podemos ver y superar autoengaños que nos condicionan, limitan y empobrecen. Nos podemos espantar de nuestra anterior capacidad para elaborar todo tipo de componendas y composturas, pero ésa será la única forma de poder cambiar y ganar realmente libertad interior. A menudo no vemos lo que no queremos ver, aunque otras veremos lo que queremos ver. Tampoco es raro ver lo que tememos ver, o lo que esperábamos o ansiábamos ver.

Mediante la atención intensa, alimentando la observación más clara y desprejuiciada, podemos empezar a ver con perspicacia, y a proseguir así en el camino de la maduración psíquica y el despertar de la consciencia. De otro modo, sufriremos mucho más por no querer sufrir y, además, como reza un antiguo adagio: «Aquello que no quieres ver, se potencia y al final es lo único que logras ver». La mente está llena de velos y oscurecimientos que hay que ir disipando y, como dice mi admirado y buen amigo, el venerable Piyadassi: «La atención recta es un factor mental que agudiza el poder de observación y contribuye al pensamiento y entendimientos rectos».

Una partícula de verdad

Mientras el diablo y uno de sus acólitos paseaban por este planeta llamado Tierra, este último de repente, exclamó aterrado:

—¡Señor, señor, cuidado, que allí hay una partícula de la verdad!

Pero el diablo, sin inmutarse, dijo:

—No hay el menor peligro, amigo mío, porque ya la institucionalizarán.

Comentario

Todo lo que se institucionaliza termina por fosilizarse, coagularse, disecarse, establecerse, cristalizarse, y pierde la esencia, el jugo, el origen, la vitalidad. Pero el ser humano está tan condicionado por el instinto de borreguismo como por el de establecer, fundar regladamente, institucionalizar, convertirlo todo en una organización y, en suma, en un modelo rígido, feo, burocrático y a menudo putrescible. Ese riesgo es extensible a toda suerte de instituciones y mucho más aún si cabe a las religiosas, puesto que éstas terminan desconectándose del verdadero mensaje del maestro espiritual o incluso lo malentienden, tergiversan y falsean; configuran todo tipo de jerarquías y grados, derechos y privilegios, utilizan desmesuradamente su poder y se sirven de una densa y paranoica burocracia; ansían hacer proselitismo, pues cuantos más afiliados y devotos tenga la organización religiosa, más poder y capacidad de manipulación tendrán los organizadores.

La organización termina incluso por engullir al organizador, al líder o cabeza de la misma: lo frena, lo frustra, le impone modelos y reglas de naturaleza coercitiva y al final lo convierte en cautivo de la propia organización. Tal puede suceder incluso en las organizaciones con fines en principio más nobles, con intenciones en un comienzo más puras. Muchos líderes, sin excluir a los religiosos y espirituales, han sucumbido a los tentáculos de su propia organización, y sus mediocres acólitos cierran filas en torno a esa figura o personaje y reprimen su conducta, la vigilan, censuran sus actos y palabras, y les hacen ceñirse a lo que tales «catacaldos» se proponen. He tenido ocasión de comprobar hasta qué punto gente muy poco brillante toman, por no tener luz propia, la del maestro o el líder, y se empeñan en hacerlo inaccesible, distante, parapetado, como si fuera objeto de su propiedad. Es de lamentar que algunos conductores espirituales o sociales de altura se rodeen de personas emocionalmente enfermizas, suspicaces y celosas, que se sienten amenazadas cuando alguien trata de aproximarse a su mentor espiritual, pues lo ven como un rival. Necesitan afirmar su fragmentado ego en el maestro o el líder y, haciendo caso omiso al desapego y el desprendimiento, se tornan celosos cancerberos del preceptor.

En las instituciones surge a menudo un submundo de atmósfera más que enrarecida, donde no faltan las rencillas, las rivalidades y censuras entre sus miembros, las paranoias y el anquilosamiento de una normativa que priva de libertades y acartona los mismos principios que dieron lugar a esa institución u organización. La propia organización llega a conspirar contra el individuo, incluido, sin duda, la cabeza más alta. Así no es extraño que Buda, Jesús, Lao-tsé y Mahavira se opusieran abiertamente a

135

todo lo instituido, a lo establecido, a las normas rígidas que traicionan la esencia del espíritu. A menudo, en el epicentro de las instituciones se «cuecen» alimentos poco sanos que dejan escapar su tufo. El místico rehúye todo lo instituido; el verdadero buscador es un librepensador que no se adscribe fanáticamente a ninguna institución o estamento y trata de mantener su juicio claro. No debe haber lugar para los dogmas, las imposiciones, la obediencia ciega, la coerción o la compulsión.

La mística no obedece a esas formas, pero la religión instituida u organizada sí, de cualquier clase que sea, y con toda doctrina que profese. El místico sólo bebe en un océano, el de la unidad y el amor, y no necesita adornarse con etiquetas ni servirse de «ologías» o «ismos», porque está más allá de toda clasificación y es un buscador de la liberación y la compasión. No necesita hacer proselitismo; no pone en ello su ego, ni su afán, ni su intención. El místico conecta con el significado y no con palabras huecas y fosilizadas. Y el buscador que está eclosionando en esta bélica era cibernética no necesita depender de una institución, ni tradición, ni de lo fundado o establecido, sino que aprenderá a asirse a su propio entendimiento claro y a la ternura de su corazón; apelará a su inteligencia primordial y tratará de convertir la vida en el arte del noble vivir, para provecho propio y de todas las criaturas. Precisamente en la senda del arte del noble vivir se requiere la correcta utilización del propio discernimiento para encontrar la sabiduría y seguir las propias leyes internas, y no los dogmas o creencias compulsivas que quiera imponerle o exigirle ninguna organización, sea ésta regentada por el Papa, el Dalai Lama o cualquier otro conductor espiritual, toda vez que también ellos están en continuo riesgo de ser «amordazados» por la institución, e incluso son manipulados por muchos de los más que ávidos de poder, hueca y mediocre solemnidad que les rodean.

136

La persona que quiera hacerse mayor de edad mental y emocionalmente, debe discurrir por sí misma y estimular al máximo sus momentos de vigilia para poder desarrollar una comprensión clara y ser dueña así de su propia conducta. No se puede tener una libertad interior absoluta mientras exista la tendencia a poner la responsabilidad como ser humano en manos de los demás. Hay que escuchar las enseñanzas sobre la paz interior, y después reflexionar con agudeza y discernimiento, para ponerlas en práctica cuando se entienda con sabiduría discriminativa que son oportunas y convenientes, pero no porque una institución religiosa, una iglesia organizada, sea la del Papa o la del Dalai Lama, nos las impongan. El mismo Buda enseñó de forma incansable a sus discípulos a que no aceptaran nada que no fuera examinado y comprobado concienzudamente, ni siquiera las enseñanzas de las más sagradas escrituras, y ni tan sólo sus propias enseñanzas; también Jesús exhortó a la mente clara y criticó a los hombres de mente embotada; Lao-tsé fue más allá y ante lo establecido no hizo otra cosa que soltar una sonora y estruendosa carcajada.

Bien es cierto que hay personas maravillosas en las instituciones espirituales —yo he tenido la fortuna de conocer a muchas de ellas, tanto del cristianismo como del budismo tibetano, entre otras religiones— pero no formaban parte, ni mucho menos, de la «cúpula» de poder ni de las jerarquías. Estas magníficas personas, humildes y cariñosas, contrastan excepcionalmente con esos «acólitos» de despótico carácter e impúdica altivez —y patético aire de solemnidad— que revolotean alrededor de los personajes o líderes espirituales y que hacen gala de la peor de las soberbias: la «espiritual».

Los tres falsos maestros

A menudo los charlatanes y embaucadores se asocian. Así, tres falsos maestros espirituales se habían unido para cooperar en sus respectivos embustes y explotar a los incautos. Con sus túnicas de seda, sus luengas y respetables barbas y sus conocimientos de las Escrituras, deslumbraban a las gentes y obtenían poder, fama y dinero. Uno de ellos decía que había hallado el elixir de la inmortalidad y que un día se decidiría a mostrar a las gentes; otro juraba poder levitar y sólo haría una demostración algún día ante los discípulos que lo mereciesen; el tercero afirmaba que era clarividente y que veía todos los peligros del futuro. Llevaban años así, aprovechándose de la ingenuidad de los devotos. Pero el destino siempre acaba por cumplirse. Para demostrar aún más su santidad, anunciaron una peregrinación a pie a un lugar santo muy remoto y se pusieron en marcha. Iban por un camino, bordeando un precipicio, cuando de repente hubo un desprendimiento, se precipitaron en el abismo y hallaron la muerte. El clarividente nada había visto; el que podía levitar, no flotó en el aire; el que había logrado la inmortalidad, fue el primero en morir.

Comentario

Los líderes desaprensivos y corruptos, losególatras manipuladores de masas, los falsos maestros y los grandes embaucadores abundan, y lanzan sus redes para «pescar» a las personas que se niegan sistemáticamente a utilizar esa joya que habita en su mente: el discernimiento. La mayoría de los grandes sabios gustan de pasar desapercibidos, y desde luego son accesibles, veraces, desprendidos, amorosos y entrañables. No necesitan hacer alarde, ni recurrir a trucos o ardides (incluida la prestidigitación y los milagros) para que los que quieran incorporarlas a sus vidas sigan sus enseñanzas (además, la enseñanza es una, y nadie puede añadir nada nuevo). Tampoco es necesario afirmar su «ego-rascacielos» persiguiendo fama, poder y medios económicos. Toda persona es maestra si es humana, compasiva, accesible, humilde, generosa y amable. No se trata de rendir obediencia ciega a ningún líder, ni siquiera espiritual, sino de despertar la clara consciencia que reside en uno mismo, que en verdad es el maestro más íntimo y leal.

Una persona que sea bondadosa y sabia puede servir de punto de apoyo para retomar la senda hacia el propio maestro interior. Si nos podemos relacionar con personas nobles y sensibles, tanto mejor, porque como dice el Dhammapada: «Verdaderamente, quien permanece en compañía de necios se atribula durante mucho tiempo. La asociación con necios es incluso tan penosa como con un enemigo. Feliz es la compañía con un sabio, tanto como el encuentro con un pariente». No importa lo que una persona haya conquistado y obtenido de honores, gloria, fama y medios en esta sociedad impregnada por la codicia; todo ello no es nada si en su corazón no hay destellos de verdadera compasión.

Una discusión acalorada

Dos muchachos versados en las Escrituras discutían muy acaloradamente, y su polémica no parecía encontrar fin. Uno de ellos sostenía:

—Todo está fuera de la mente.

El otro aseveraba:

—Todo está en la mente.

Su guía espiritual, que oyó la discusión, les pidió que esa noche le acompañaran al lago, y así lo hicieron. Era una hermosa noche bañada por la luz de la luna. Llegaron a la orilla del lago; la luna, espléndida, se reflejaba en las aguas.

—Mirad la luna en el lago —dijo el guía.

Los dos jóvenes obedecieron.

—Ahora decidme: ¿está en el lago o fuera del lago? Y cuando la veis, ¿está en la mente o fuera de la mente? Si creéis que está fuera de la mente, ¿cómo podéis verla? Si creéis que está en la mente, entonces ¿es que la luna no existe?

Los estudiantes estaban perplejos.

—Decidme también —continuó el maestro—: ¿quién se hace todas estas preguntas con las que os enredáis en inútiles polémicas?

Los jóvenes comprendieron que perdían el tiempo con argumentos banales. Así pues, miraron la hermosa luna, con la mente atenta y silente, sin realizar más preguntas inútiles.

Comentario

Hay aspectos y ámbitos de la existencia que nos son desconocidos pero que podemos llegar a conocer; hay otros que son incognoscibles y que la mente ordinaria no está capacitada para comprender. Innumerables sabios se han referido a este hecho: es el encuentro con el misterio, el interrogante sin respuesta, lo insondable. En lugar de hacerse preguntas que no tienen respuesta conceptual y de empecinarse obsesivamente en ello, hay que preguntarse por quién pregunta y emprender una investigación ardiente para descubrir la esencia del interrogador. No hay que estrellarse contra las apariencias ni comportarse como el pastor distraído que lleva una oveja sobre sus hombros y sin embargo la busca afanosamente. Por un lado se requiere humildad, para asumir que sólo somos una parte infinitesimal de un «programa» colosal y, por otro, no debemos cejar en el noble empeño del desarrollo interior. Se trata de hacerse consciente, para poder seguir la senda hacia lo que está más allá de la senda y que no es reductible a racionalizaciones, ni asible por el mero conocimiento intelectual.

Pero, para todos aquellos que han alcanzado el plano de la mente realizada, hay una realidad no constituida y no creada que puede ser captada supraconscientemente, que pone fin a las contaminaciones de la mente y reporta un sentido de plena libertad. Mientras haya apego y odio, no será posible captar esa realidad que se esconde tras los fenómenos vacuos y aparentes, que no son más que velos que impiden la visión penetrativa y reveladora. A ello se refería Buda con estas significativas palabras: «Difícil es que quienes así viven lleguen a comprender la íntima relación de causas y efectos, es decir, la ley natural del origen condicional de las cosas, ni que puedan comprender lo que es el acabarse de todo lo constituido, el abandono de los fundamentos de la existencia, la cesación, el vaciado y aniquilamiento del deseo, el Nirvana. Pero algunos no tienen los ojos demasiado empañados. Éstos sí que podrán comprender la verdad».

En lugar de extraviarse o incluso atormentarse con preguntas que a través del pensamiento condicionado no se podrán responder (pues lo condicionado no tiene acceso a lo incondicionado), es mucho más saludable y práctico tratar de aliviar el sufrimiento propio y ajeno, desarrollar lo mejor de uno mismo y cultivar metódicamente la mente para liberarla de trabas, aflicciones y conflictos. A menudo deberíamos recordar que no hay otra dicha más permanente que la paz interior, y que todo aquello que hagamos para que aflore dentro de nosotros será lo más esencial de nuestras vidas. No es la indagación condicionada la que nos puede conducir a lo que está más allá de lo condicionado, sino una indagación que nos permita poner término a la ignorancia básica de la mente, que a su vez desencadena la avidez y el odio, la envidia y los celos, y otras contaminaciones que son como cenicientos nubarrones que impiden vislumbrar el lado más puro y fecundo del ser, percibir y relacionarse con las demás criaturas.

Arrogancia

Un hombre que habitaba en una fabulosa mansión le dijo un día a su mayordomo:

—Debo hacer un largo viaje. Cuida de todo como si fuera tuyo pues no sé cuánto tardaré en regresar.

El hombre partió y desde aquel día el mayordomo comenzó a proclamar que aquella mansión era suya. Hacía fiestas, organizaba reuniones, invitaba a sus convidados a bañarse en el lago de la finca y presumía diciendo:

—Tengo más de cuanto puedo desear. Aprovechaos de mí, no importa, pues soy enormemente rico. Disfrutad de todo. Esto que veis no es nada en comparación con todas mis riquezas.

Y así, día tras día, se jactaba y pavoneaba ante sus invitados. Una noche en que daba una gran fiesta llegaron dos desconocidos y preguntaron:

—¿De quién es esta majestuosa mansión?

—Mía. ¿De quién iba a ser? —dijo el mayordomo, altivo—. Me pertenece y es menos de lo que mi persona se merece.

Entonces los hombres, que eran policías, le prendieron y lo llevaron a la comisaría, porque el supuesto propietario de aquella casa había llevado a cabo una gran estafa. El mayordomo pasó varios años en la cárcel.

Comentario

La persona prudente no se envanece y trata de pasar, como recomienda Lao-tsé, desapercibida; no alardea y así no se gana enemigos ni incita el sentimiento de envidia de los menos favorecidos. La arrogancia, el orgullo y la soberbia hieren a uno mismo y a los demás, engendran hostilidad y frustran los lazos amistosos. Son a menudo un distintivo de perverso infantilismo, carencias emocionales y compulsiva necesidad de que los demás apuntalen el propio ego. Antes o después, el que —debido a su infatuación o soberbia— hace gala impunemente de sus posesiones (sean éstas materiales o de otro orden), recibirá los efectos dolorosos de las causas nocivas que él mismo originó. Es una ley de acción y reacción que a menudo se vuelve contra el que recrea su importancia y se envanece. El que sabe ver, por ello mismo comprende que todo es transitorio, que no hay nada de lo que sea posible infatuarse y que un ser humano no se distingue por lo que posee sino por lo que es.

Ni siquiera los dioses son refugio

Uno de los más célebres dioses de la India es Rama, que mora en el bosque y gusta de cazar con su arco. Un día sintió sed, se acercó al lago para beber y encontró a una pobre rana que tenía clavada una flecha y agonizaba. Rama se compadeció del animalito indefenso y le preguntó:

—¿Qué te ha sucedido?

—Una de tus flechas me hirió por accidente —respondió la ranita.

—Pero si hubieras croado no te hubiese confundido con una presa.

—¡Oh, Rama! —se lamentó el animalito, al borde de la muerte—. Siempre que algún peligro se cernía sobre mí te invocaba y rezaba reclamando tu auxilio. Pero ahora que me has herido de muerte, ¿a quién puedo pedir ayuda? Sin querer, me ha matado con justicia aquel a quien siempre invocaba para estar a salvo.

Comentario

En un pasaje muy significativo en la vida de Buda, cuando iba a morir, los discípulos le pidieron que nombrara a un sucesor, pero él se resistió declarando que la enseñanza y la disciplina son el maestro. Después agregó: «Que cada uno de vosotros sea su propia isla, cada uno su propio refugio, sin tratar de acogerse a ningún otro. Que cada uno de vosotros tenga la enseñanza por isla, tenga la enseñanza por refugio, sin tratar de acogerse a ningún otro refugio».

Aunque esta exhortación fue hecha hace dos mil quinientos años, hoy tiene la misma vigencia que entonces, y es una instrucción valiosa para conseguir higiene mental y depender de uno mismo espiritualmente. Cada uno tiene que vigilar sus intenciones, sus actitudes, sus palabras, su proceder, y a cada uno incumbe su propia evolución interior, que no puede dejarse en manos de nadie, ni siquiera de los dioses, grandes maestros y sabios tanto de Oriente como de Occidente. Todos ellos han proporcionado destellos intuitivos, descubrimientos místicos, enseñanzas y mapas espirituales, métodos y técnicas, pero es tarea de cada uno poner en práctica todas las enseñanzas para seguir avanzando. Todas ellas son una misma, y mantienen todo su poder transformador. Han fluido en todas las épocas y latitudes, y han conservado su pureza y su sentido no dogmático para a menudo situarse al margen de las instituciones religiosas. Éstas a menudo han sido la mayor amenaza contra las instrucciones genuinas de los más grandes maestros y místicos. No pocas veces ellos mismos han sido perseguidos, dañados, exiliados, menospreciados, ignorados o apartados de las corrientes religiosas institucionalizadas.

El buscador se conecta con las enseñanzas originales, sigue su propia vía y halla refugio en sí mismo, sin necesidad de intérpretes, intermediarios o reglas inamovibles. Toma de cada filosofía, sistema religioso o técnica de autorrealización lo que considera más oportuno para su propia evolución interior, a sabiendas de que las verdaderas enseñanzas ponen el acento en el triple entrenamiento: ético, mental y adecuado para desarrollar la sabiduría o visión liberadora.

146

El mayor confortamiento, apoyo, directriz, consuelo y orientación es la enseñanza misma, que tiene un solo color, un solo sabor espiritual y un solo objetivo, por mucho que las instituciones, con sus jerarquías, normas, actitudes fosilizadas y dogmas quieran detentar el monopolio de la verdad y la prerrogativa de la enseñanza más elevada. Con esa actitud ponen en evidencia el gran ego de la institución misma y los egos irreductibles de muchos de los que la configuran. En este sentido, no es de extrañar que grandes revolucionarios del espíritu, como Buda, Jesús, Lao-tsé, Mahavira y tantos otros, se hayan rebelado sistemáticamente contra los poderes instituidos y los grupos de presión que se empeñaban en dogmatizar e imponer sus «verdades» a los demás. De esa forma afirmaban sus privilegios y detentaban con el poder espiritual muchas veces también el político, e incluso configuraban cerradas e inaccesibles clases omnipotentes. Buda, Jesús y otros seres de la cumbre de la consciencia supieron reaccionar intrépidamente contra esos grupos e instituciones «respetables».

La simulación

Un hombre había acumulado innumerables deudas porque tenía un carácter derrochador. Tantas eran sus deudas que, finalmente, fue demandado por la justicia. Para poder librarse, se fingió loco. Le examinaron varios psiquiatras y le recetaron diversos medicamentos para que recuperara la salud mental, pero él seguía fingiéndose enfermo. Uno de los psiquiatras, más astuto que sus compañeros, supuso lo que estaba pasando. Así pues, examinó al despilfarrador y le dijo:

—No sabes lo que estás haciendo ni el riesgo que corres. Estás imitando a un loco, y lo cierto es que me parece empezar a ver en ti rasgos propios de un verdadero loco. Terminarás por enloquecer de verdad y te encerrarán en un manicomio.

El hombre entonces optó por dejar de fingir y pagó sus deudas.

Comentario

Aquello que imitamos puede dejar una estela en nuestra psique o personalidad. De hecho hay una antigua técnica de transformación interior consistente en imitar estados mentales y emocionales positivos para impregnarnos de ellos. También si por imitación, mimetismo o identificación ciega nos dejamos llevar por estados mentales o emocionales negativos, éstos nos condicionarán negativamente. Para que la mente esté más equilibrada y armonizada, hay que procurarle impresiones mentales sanas y positivas, que son las que la nutren; en cambio, hay que desalojar de la mente los estados mentales nocivos y prevenirse contra las perniciosas impresiones que emponzoñan o ajan la mente. La mente es un órgano muy delicado, cuya precisión depende también del cuidado y trato que se le procure. Está sometida a toda suerte de condicionamientos e influencias, unos provenientes del exterior y otros del propio interior; mediante el poder de la atención, custodio y filtro de la mente, la persona debe aprender a no contaminar excesivamente su mente y tratar de mantenerla en lo posible equilibrada, clara y sana.

Reproches al divino

Una niña perdió a su padre; la muerte de su progenitor le resultó muy dolorosa. Entonces comenzó a hacerse preguntas metafísicas a las que no podía responder y decidió pedirle explicaciones al mismo Dios. Fue al bosque y le reprochó a Dios que la hubiera traído a este mundo sin haberle pedido permiso para ello. Entonces Dios tomó la apariencia del padre de la niña y se presentó ante ella.

—¿Por qué me has dado la vida si yo no te la pedí? —preguntó la niña.

Dios le sonrió cariñosamente y dio media vuelta para alejarse. La niña le gritó que se quedara y, desesperada, le arrojó una piedra. En aquel momento, Dios se convirtió en un rayo de luz y penetró en la piedra que le había sido arrojada. La niña cogió la piedra y se dio cuenta de que también ella estaba viva, como los ríos, las montañas, las nubes y los árboles. Así pues, guardó la piedra siempre junto a ella, pues en esa piedra halló consuelo y sentido.

Comentario

El sufrimiento es universal e inherente a la vida. Una de las grandes preguntas es cuestionarse por qué existe el sufrimiento. Otra más compleja sería preguntarse por qué además de nacer hay sufrimiento. El sufrimiento anega todo lo que es compuesto. Es la sensación de dolor que inevitablemente surge cuando hay corporeidad y mente, como también a veces brota el placer o la sensación placentera. Todo lo compuesto está sometido a la dinámica del placer y del sufrimiento, y a menudo el mismo placer, al dejar de serlo —por estar sometido también a la ley de la inestabilidad—, se torna sufrimiento. Si además el ego está muy desarrollado y la persona es muy inclinada al apego y la aversión, el sufrimiento se intensifica en grado sumo. La muerte de los seres queridos es una de las fuentes de mayor sufrimiento, como la enfermedad y otras. Pero, debido a su mente caótica y voraz, el ser humano añade mucho sufrimiento al sufrimiento. Las raíces de lo insano en la mente humana (ofuscación, avaricia y odio) acumulan montañas y océanos de sufrimiento que bien pudiera haberse evitado, porque hay diversas clases o categorías de sufrimiento: el de las causas que nos producen malestar o daño, inherentes a la vida o procedentes del exterior y ajenas a nosotros; el aferramiento a lo que nos place, pero que, como todo, es inestable y contingente, pues al perderlo nos hace sufrir o aun teniéndolo nos produce el temor a la pérdida y la inseguridad, que es también un tipo de aflicción; y el sufrimiento inútil que genera la neurótica y ofuscada mente humana, que se daña a sí misma, daña a la otras criaturas y genera todo tipo de tribulaciones además de maltratar a la naturaleza, con lo cual ocasiona desastres ecológicos irreparables.

Si una persona trabaja para esclarecer su mente y se establece en la firme ecuanimidad y la sabiduría, entonces evitará el sufrimiento del apego-aversión y también el inútil padecer que engendra la mente neurótica. De hecho, el yoga fue la primera técnica del mundo para la liberación del sufrimiento. El ser humano podría evitarse mucho dolor a sí mismo y a las otras criaturas si modificase sus enfermizos modelos mentales, y precisamente eso es lo que se propone la meditación y el desarrollo de sí. Mucha insatisfacción, descontento, malevolencia y tribulación brota de la mente inmadura, confusa e incapaz de discernir. La persona que emprende la senda de la propia realización busca una dicha más profunda que eclosiona en sí misma, y que no es el placer efímero supeditado siempre a las cambiantes circunstancias y situaciones externas.

El monje desprendido

Un niño de apenas cinco años de edad, perdió a sus padres y fue acogido en un monasterio. Se convirtió en novicio y más tarde en monje. Tenía unas dotes especiales para la búsqueda espiritual, el estudio y la comprensión de los textos antiguos, además de ser muy inteligente, cariñoso y una persona encantadora. Un día el abad le hizo llamar y le dijo:

—La naturaleza ha sido generosa contigo. Tu cuerpo es fuerte y sano; tu mente es muy brillante; estás lleno de bondad y a todos les agrada tu presencia. De hecho, estás capacitado para tantas cosas que no sé qué labor encomendarte, ya que estoy convencido de que triunfarás en cualquier ocupación que emprendas. A veces pienso que debes dedicarte a la enseñanza; otras, a redactar los textos espirituales; otras, a dirigir el dispensario o llevar la enseñanza a las gentes sencillas de las aldeas. De hecho, eres la persona más capacitada para sucederme como abad del monasterio. Así que he decidido que tú mismo decidas la tarea que quieras desempeñar.

El monje, sin dudarlo, repuso:

—Quiero ser lavandero.

—¿Lavandero? —dijo el abad sin poder dar crédito a lo que oía.

—Sí, lavandero —repitió el monje.

Extrañado y algo desilusionado, el abad le preguntó:

—Pero ¿por qué lavandero?

—Porque los demás me traerán su ropa para que la lave y luego se la llevarán. Así no tendré nada que me pertenezca. La ropa viene y se va. Deseo ser libre y quiero ser lavandero.

Comentario

Pocas son las personas que pueden llegar al grado de elevado entendimiento y a la actitud de noble desprendimiento de ese monje. Sólo algunas pueden desarrollar de tal forma su visión cabal, transformarse mentalmente de modo que perciban supraconscientemente que todo es un flujo o continuo, y que nada permanece, por lo que en realidad no hay nada a lo que aferrarse o lo cual considerar realmente como propio. Este tipo de personas son las que han «viajado» más allá del apego y de la aversión, y que se han situado en un plano de consciencia donde no se hace diferencia entre lo placentero y lo doloroso. Son las que lo asumen todo como un río de experiencias que no deja de fluir y que no puede ser detenido ni atrapado.

Aunque no podamos elevarnos hasta esa dimensión de consciencia imperturbada y desprendida, sí podemos ejercitarnos para ser más desasidos, generosos y ecuánimes, sin dejarnos turbar y perturbar tanto por los acontecimientos. Se puede debilitar, hasta donde sea posible, el intenso y mórbido sentimiento de propiedad y posesión.

Respuesta directa

Un guía espiritual, tras una sesión de meditación, invitó a sus discípulos a dar un paseo. Llevaban un rato caminando cuando, de súbito, el maestro cogió una rama y le preguntó a uno de ellos:

—¿Qué tengo en las manos?

Todo había sido tan repentino que el joven vaciló, y el maestro le golpeó con la rama. El mentor se volvió hacia otro discípulo y le preguntó:

—¿Qué tengo en las manos?

—Quiero verlo bien. Dámelo —respondió el discípulo. Agarró la rama y con ella golpeó al maestro.

—Has contestado correctamente. Enhorabuena.

Comentario

La búsqueda interior y el desarrollo personal no apartan en absoluto de la vida cotidiana, bien al contrario, nos enseñan a ser más precisos, diligentes y pragmáticos en la existencia diaria. Los grandes místicos no han sido «inútiles» visionarios ni nada por el estilo, sino personas muy cabales y con un gran sentido práctico de lo cotidiano. Ellos han sabido encontrar al Divino «entre las ollas» y han realizado las tareas de la vida cotidiana lo mejor posible, así como también se han preocupado de conseguir lo mejor en su búsqueda interna. No han tenido necesidad de disociar el espacio espiritual del material, puesto que ambos configuran una misma realidad. A menudo hay que afirmar la naturaleza para ir más allá de ella, consolidar las raíces para que la copa pueda elevarse lo máximo posible y, en suma, instrumentalizar las actividades cotidianas, con pragmatismo, sin perderse en abstracciones metafísicas, para por un lado mejorar la calidad de vida exterior y por otro la calidad de vida espiritual.

Hechos incontrovertibles

Un maestro se dirigió a sus discípulos para decirles:

—Es de sabios aceptar lo inevitable; es de sabios modificar lo que pueda ser modificado para bien; es de sabios saber qué se debe aceptar y qué se puede modificar.

Los discípulos le miraron denotando que no acababan de entender que quería decir con eso. Así que el maestro les dijo:

—Id al estanque más cercano y llevad con vosotros una roca y un bidón de aceite. Arrojad la roca al lago y echad una buena cantidad de aceite. Regresad después a contarme lo sucedido.

Los discípulos siguieron las indicaciones de su maestro. Cuando llegaron al estanque, arrojaron a sus aguas la roca y una buena cantidad de aceite. Estuvieron observando unos instantes lo sucedido y regresaron junto al preceptor, que les preguntó:

—¿Qué ha pasado?

Uno de los discípulos se expresó por todos ellos:

—Hemos comprobado que la piedra se ha hundido y el aceite ha flotado.

—Pues bien, amigos míos, tales son los hechos incontrovertibles. Aunque pasarais el resto de vuestras vidas suplicando que la roca flotase y la mancha de aceite se hundiera, no lo lograríais. Simplemente es la ley, sí, la de los hechos incontrovertibles. En esta vida, pues, aceptad que algunas cosas no vais a poder cambiarlas; lo que podáis cambiar para mejorarlo, hacedlo; pero estad también muy atentos y lúcidos para saber cuándo podéis hacerlo y cuándo no.

Comentario

Nuestra actitud genera mucho sufrimiento porque a menudo no es la correcta. Se añade malestar al malestar porque no se sabe distinguir entre los hechos incontrovertibles y los que no lo son, y tampoco se sabe asumir consciente y pacientemente los que lo son. Nos empeñamos con demasiada e insensata frecuencia en modificar lo que no puede ser cambiado. De esa forma se engendra mucha oposición, tensión y aflicción, que desgasta y sume en la desesperación. No sabemos mantener la calma ni ante lo evitable ni ante lo inevitable, y no disponemos de la suficiente sagacidad o perspicacia para determinar cuándo algo puede modificarse y solucionarse y cuándo hay que aceptar lo que es irreversible e irreparable. Entonces lo único que nos queda por hacer, y no es poco, es cambiar nuestra actitud y descartar lo inevitable.

Una forma lenitiva de protegerse es no violentarse para cambiar lo que es incontrovertible. Sin embargo, cuando ello es posible, conviene ser diligente para acabar con una situación indeseada. La mente clara y ecuánime sabrá decirnos qué asumir o qué modificar. Es inútil y muy poco saludable enervarse y atormentarse queriendo que lo que no puede ser de otra manera lo sea. La persona que actúa así vive oponiendo una resistencia innecesaria que termina por quebrarla psíquicamente, pues, no hay ninguna posibilidad de reparar lo irreparable o modificar lo que no puede ser cambiado. Ello debe ser aceptado consciente, lúcida, paciente y sosegadamente.

Incertidumbre

Un discípulo, atormentado por las dudas, le expuso una de ellas a su mentor:

—¿Cómo sabré cuándo estoy realmente en la senda hacia la suprema libertad interior?

El maestro sonrió afectuosamente y le dijo:

—No te inquietes. Cuando realmente estés en la senda hacia la suprema libertad interior, ya no te formularás ese tipo de preguntas. ¿Acaso el ave se pregunta si realmente está volando o el pez si está nadando?

Comentario

Cada paso que se da, está hollando la senda. La senda interior y la de la vida deben ser recorridas sin inútiles vacilaciones ni preguntas irrelevantes. Con mente clara y corazón tierno: ése es el secreto. Y con mente atenta y corazón sosegado: otro secreto. Se trata de aprovechar el viaje, hasta donde sea posible, para el bien y dicha de uno mismo y de los demás, incluidos todos los seres vivientes; se tienen que ir cultivando los factores de evolución de la consciencia e ir liberando la mente de fardos, trabas y aflicciones. Habrá momentos difíciles, pero se puede aprender de ellos sin dejarse turbar en demasía; habrá reveses, contratiempos y vicisitudes, pero dependiendo de con qué actitud se afronten nos fortalecerán o debilitarán, nos impulsarán en la dirección correcta o nos hundirán en la amargura y el abatimiento.

Entre esas dos estaciones llamadas «nacimiento» y «muerte», el viaje debe proseguir. A veces es aparentemente fluido, sencillo, sin muchos inconvenientes, incluso plácido; otras veces se torna turbulento, difícil, sinuoso, desasosegante. Pero debe proseguir. Hay que hacerlo con atención vigilante, sosiego, ecuanimidad, ánimo estable, inspirándose en el «sabor de la libertad interior», tratando de aniquilar los venenos mentales y emocionales, superando la excesiva y embotada sensualidad, disfrutando sin aferramiento, aplicando la serenidad interior a las dificultades, con concentración y diligencia, sin reacciones neuróticas, muriendo para nacer a cada instante, sin acumular tanta carga psíquica y sin acopiar inútiles cachivaches en el trasfondo de la mente, permaneciendo sensitivo y ecuánime, amoroso pero no dependiente, acompañándonos en lo posible de personas con buenos sentimientos y nobles intenciones, y apartándonos de aquellos que nos quieran dañar o perturbar; valorando la reflexión consciente, el gozo interior, la amistad incondicional, la visión penetrativa que nos establece en la calma mental y el desprendimiento.

Es un viaje difícil, muy corto o muy largo —según se mire—, sembrado de alegrías y tristeza, encuentros y desencuentros, amigos y enemigos, amores y desamores, elogios e insultos... Pero todo ello debe ser utilizado para el aprendizaje y la búsqueda del ser, y no para engordar el ego y volverse demente. Si se hace así, el viaje de la vida será un camino gradual hacia la liberación, el entendimiento, la indulgencia.

La sombra

Un aspirante espiritual cubrió una gran distancia para visitar a un yogui que vivía en la jungla. Se presentó ante él y le rogó:

—Instrúyeme espiritualmente. Necesito tus enseñanzas porque mi mente está sumida en la confusión.

—Ve allí donde puedas recibir los rayos solares y dime si se proyecta la sombra de tu cuerpo en el suelo.

El aspirante caminó hasta abandonar la jungla y poder recibir los rayos del sol. Cuando lo logró, tuvo ocasión de contemplar su sombra extendiéndose sobre el suelo. Así pues, volvió junto al maestro y le dijo:

—Sí, ya he contemplado la sombra que proyecta mi cuerpo.

—Pues ahora —dijo el yogui—, desnúdate y exponte de nuevo a los rayos del sol y dime si tu cuerpo proyecta sombra o no.

Tras desnudarse, el aspirante salió de nuevo del follaje y se expuso a los rayos del sol; comprobó que su cuerpo proyectaba, como antes, la sombra. Regresó junto al yogui, que le preguntó:

—A pesar de estar desnudo, ¿tu cuerpo ha proyectado su sombra?

—Efectivamente, maestro, así ha sido.

El yogui dijo:

—Del mismo modo que, sea vestido o desnudo, tu cuerpo proyecta su sombra y tú puedes ser testigo de ello, trata de mantener esa actitud de ser testigo en cualquier momento o circunstancia e investiga quién es el que atestigua. Persevera en tu indagación. Más allá de la sombra está tu cuerpo; más allá de tu cuerpo está tu mente; más allá de tu mente está el testigo... Descubre qué está más allá del testigo.

Comentario

Los sistemas más rigurosos para el desarrollo de la persona y el crecimiento interior, hacen referencia, con unas palabras u otras, a un estado de ser que es bien distinto y superior al de la mera reflexión, entendimiento o consciencia; un modo de ser, sentir y sentirse que sobreviene cuando la persona logra suspender sus ideaciones mecánicas, se adiestra en la genuina virtud, ejercita su mente, purifica sus emociones y desencadena una visión liberadora que le sumerge en un estadio de gloriosa insensibilidad y a la vez en gran sosiego y contento interior. Pero cuando se está identificado con las circunstancias y afanes externos y con los propios ropajes psicosomáticos, cuando se está en la periferia y no en el ser central, entonces la persona ni siquiera tiene un breve vislumbre o fugaz destello de que también hay una realidad más allá de la realidad aparente.

Cuando uno va haciéndose más consciente y prosigue con firmeza en la senda del autoconocimiento, se obtiene mayor tranquilidad de mente y una visión más penetrativa, se percata de una realidad que para ser aprehendida requiere otros instrumentos que los simplemente intelectivos y que se hace oír en el pleno silencio interior o a través de una ardiente investigación del «testigo» que mora más allá de los órganos sensoriales, de la mente de superficie y de la mente subconsciente. Mediante un tipo de conocimiento superior y de especial sabiduría discriminativa, sólo alcanzable mediante la práctica de la meditación y el ejercicio espiritual, la persona capta lo que está más allá del perceptor y lo percibido, y que sin embargo hace posible tanto al que percibe como a lo que es percibido. Entonces la mente no se disocia de su naturaleza real, o por lo menos no se olvida por completo de ella, y siempre mantiene ese sabor de infinitud. Desligándose de la maraña de pensamientos, la persona se sitúa en el espacio anterior al pensamiento, que es como el ángulo donde confluyen lo personal y lo transpersonal. Allí puede ser tomada una energía de claridad y sosiego que aporta gran auxilio para la vida cotidiana y para la singladura hacia el propio centro esencial.

El primer faraón

El primer faraón tenía un gran poder y era muy temido. Despojaba a quien él quería de sus bienes, procuraba favores a sus amigos, quitaba la vida a quien le placía... Era descomunal su riqueza e impresionante su poder. Y los que lo rodeaban, unos por miedo y otros por conseguir prebendas, le alababan en exceso e iban insuflando su ego, hasta que el faraón se creyó un dios. A partir de entonces, los sucesivos faraones también creían ser la indiscutible divinidad, aunque no eran más que hombres como los demás mortales.

Comentario

Ningún ser humano es diferente a otro excepto en sus sentimientos. Son los buenos o malos sentimientos los que definen a una persona. Nadie, de otra forma, es superior a nadie, ya sea rey, jefe de Estado, o líder de cualquier índole, un Papa o un Dalai Lama. Lo único que realmente se puede valorar son los sentimientos. Nadie merece obediencia ciega, ni sometimiento, ni abyección, ni pleitesía. No queremos liberarnos de nuestro cautiverio interior para ser cautivos de los demás. El buscador genuino no se obsesiona con las figuras paternalistas, ni necesita autoridades, ni rinde culto a los purpurados o a un bonete amarillo, ni tampoco a tradiciones dogmáticas. Es sumamente respetuoso, pero ese respeto comienza desplegándolo hacia sí mismo y no permite que las ideas, los dogmas o las actitudes coercitivas le roben su alma. Porque el alma es insobornable para un verdadero buscador y para todo aquel que quiere asentarse en el arte del noble vivir y no existir mecánicamente, según los deseos y directrices de los demás.

Escuchar sin practicar

Si había un discípulo verdaderamente holgazán era ése. Se limitaba a escuchar las enseñanzas espirituales de su mentor, pero nunca las llevaba a la práctica pues era sumamente perezoso. Una cosa era escuchar y otra practicar; prefería dejarse ganar por la indolencia. Pero él mismo se percataba de que cada día estaba más alejado del equilibrio y de la paz interior. Entonces decidió ir a hablar con el maestro al respecto:

—Eres muy buen mentor —le dijo con un toque de ironía e incredulidad—, pero el caso es que no avanzo gran cosa en la senda hacia la liberación.

—Yo te daré el remedio, pero antes quiero que entierres este grano de arroz que te entrego y, cuando termine de germinar y brote, te explicaré lo que sucede.

El discípulo plantó el grano de arroz y el tiempo comenzó a discurrir. A una estación seguía la otra y así sucesivamente, pero el grano de arroz no brotaba y el discípulo había comenzado a desesperarse. Desmoralizado, acudió al maestro y le dijo:

—No lo puedo entender. El grano de arroz no brota y ha pasado mucho tiempo.

—¿Y no sabes por qué? —preguntó el maestro.

—Pues no.

—Simplemente porque se trataba de un grano de arroz cocido. No puede brotar, como tú no puedes avanzar hacia la paz interior si no haces ningún esfuerzo ni sigues ninguna práctica. De nada sirve escuchar sin practicar.

Comentario

El esfuerzo es energía puesta en movimiento, adecuadamente guiada y canalizada. El esfuerzo es el sustento de toda disciplina, ya sea artística, deportiva, social o espiritual. La gracia está dentro de uno y no sobreviene sin esfuerzo; se gana. Como dice un antiguo adagio: «Róbasela a Dios». El esfuerzo debe ser perseverante, no coactivo, compulsivo, esporádico o neurótico. El esfuerzo ayuda a regular la mente, sanea las emociones, suaviza el trato con los demás, fortalece la vida psíquica y equilibra el carácter. Había un antiguo místico que decía: «Dios lo hace todo por mí, pero para que pueda hacerlo, yo tengo que ayudarle mucho». Incluso para llegar a la ausencia de esfuerzo (el sahaja-yoga o yoga espontáneo y natural), hace falta una considerable fuerza de voluntad.

Para gobernar la mente, para que los pensamientos cedan y se manifieste la energía que está allende el pensamiento, el pensador y el proceso de pensar, también se requiere esfuerzo. No hay meditación sin esfuerzo; no hay *sadhana* (entrenamiento) sin esfuerzo. Se requiere esfuerzo para desalojar de la mente lo nocivo y suscitar, propiciar y desplegar lo provechoso; se necesita el esfuerzo para ir dominando los pensamientos intrusos e insanos, ya sea observándolos sin reaccionar, cortándolos por su propia raíz o cultivando los pensamientos opuestos, es decir, los sanos. El esfuerzo es como una dinamo: se invierte energía y se genera más energía. No se trata de practicar un voluntarismo espartano, pues hasta el esfuerzo debe ser aplicado con inteligencia y ecuanimidad. Se tiene que recurrir al esfuerzo para reafirmarse en una ética genuina y mejorar la relación de afecto incondicional con los demás, así como para llevar a cabo la meditación sentada, frenar los pensamientos y que se manifieste lo «autocreado» o lo más luminoso en uno mismo; la sabiduría se gana a través del esfuerzo consciente y la paciencia.

Investigar en lo más íntimo de uno mismo no es posible sin esfuerzo. Para atender a un enfermo se requiere cierto esfuerzo; para que una relación amorosa o amistosa fertilice, hay que recurrir a la hermosa disciplina de no desatenderla. El escultor no puede esculpir sin energía, ni el maestro impartir clases magistrales, ni la enfermera restañar amorosamente las heridas del enfermo. Motivación y esfuerzo son los dos rostros complementarios del poder que moviliza y hace que tomemos la dirección correcta para ir ennobleciendo la vida convirtiéndola en arte en vez de en confusión y desorden.

Las hojas de simsapa

A veces los discípulos del Buda presuponían que el maestro no les comunicaba todo lo que él conocía. Por este motivo en una ocasión, estando en un bosque de árboles simsapa, el Buda se agachó y tomó del suelo un puñado de hojas. Se dirigió a sus discípulos y les preguntó:

—¿Qué creéis que es mayor en cantidad, el puñado de hojas simsapa que he reunido o todas las que hay en el bosque?

Los discípulos respondieron:

—Las hojas que tiene el Buda en su puño son una bagatela en comparación con las que hay en el bosque.

—Pues de la misma manera son muchas las cosas que he comprendido plenamente, pero no os he revelado; y son pocas las cosas que os he confiado. ¿Y por qué no os las he confiado? Porque, ciertamente, no son útiles, no son esenciales para la vida pura, no conducen al desapego, al desapasionamiento, a la cesación del sufrimiento, a la tranquilidad, a la comprensión total, a la iluminación, al Nirvana. Por eso no las proclamo.

»¿Y qué es lo que he manifestado?

»El sufrimiento, eso he manifestado.

»El origen del sufrimiento, eso he manifestado.

»La cesación del sufrimiento, eso he manifestado.

»El sendero que conduce a la cesación del sufrimiento, eso he manifestado.

»¿Y por qué he revelado estas verdades? Porque, ciertamente, son útiles, esenciales para la vida pura, conducen al desapego, al desapasionamiento, a la cesación del sufrimiento, a la tranquilidad, a la comprensión total, a la iluminación, al Nirvana.

»Por eso las he revelado.

Comentario

En otros de mis libros he hecho referencia al cuento del perro que se encuentra en un descampado con un hueso fosilizado, comienza a roerlo, se hiere una encía y al degustar la sangre de su propia encía cree que le está sacando mucha sustancia al hueso, mientras lo que hace es comer su propia sustancia. Así sucede cuando mentalmente nos «enganchamos», como un disco rayado lo hace en un surco, y estamos en un estado repetitivo de consciencia, con cuestiones u opiniones que son no sólo improcedentes o irrelevantes, sino que no nos conducen a ninguna parte ni nos hacen transformar en absoluto. Esas cuestiones lo más que pueden ofrecer, si lo ofrecen, es una comprensión de superficie, que no es tal, y que no nos ayuda a modificarnos, puesto que cuando la comprensión no se traduce en una transformación de conducta, no es comprensión real.

Buda, con un sentido muy pragmático, apuntaba al núcleo del problema: hay sufrimiento que puede evitarse y hay una senda y método para superarlo. Podía, como tantos otros mentores, haberse extendido durante años con cuestiones intelectuales, metafísicas o filosóficas, pero esa maraña de opiniones no es procedente en cuanto que no muestra la vía directa hacia la liberación de la mente. Buda consideraba muy grave la traba de las opiniones y veía el peligro que entrañaban, tanto que llegó a asegurar: «Un extravío de opiniones, una maraña de opiniones, un yermo, un enredo, una barahúnda de opiniones». Aconsejaba atender a lo esencial (poner los medios para liberarse de las contaminaciones mentales y poner fin al sufrimiento) y desatender lo que no lo es, e invitaba a purificar y ejercitar el discernimiento para superar las opiniones erróneas y tener puntos de vista acertados. Lo que urge es «desaprender» todas las ideas erróneas, estrechos puntos de vista y clichés socioculturales que impiden a la mente tener una visión lúcida. Urge liberarse de obstáculos y frenos mentales que generan sufrimiento y no sosiego; lo que urge es activar las cualidades nobles de la mente y disipar las innobles.

Compartiendo ganancias

Hubo un rey muy glotón cuyo plato favorito era el pescado. Pero llegó una gran sequía y los ríos se secaron muriendo todos los peces, por lo que resultaba muy difícil conseguir pescado para el monarca. Éste no sólo estaba abatido, sino también enfurecido. ¡Tanto poder como tenía y no podía llevarse ni un pescado a la boca! Así pues, fijó una recompensa para aquel que le pudiera traer algún pescado.

Una mañana, un hombre llegó a la puerta del palacio con una cesta de pescados.

—¿Qué quieres? —le preguntó en mal tono el jefe de la guardia, un hombre arrogante y despiadado.

—Traigo pescado para Su Majestad.

El jefe de la guardia, sin mediar palabra, le dio un violento empujón que le hizo caer al suelo.

—¡Pero si traigo pescado para el rey! —exclamó el hombre.

—¡Pobre necio! No podrás dar un solo paso si yo no te lo permito.

—Pero...

—¡Cállate ahora mismo! Tú lo que quieres es la recompensa. Te diré una cosa: sólo te dejaré pasar si me das la mitad de la recompensa; de otro modo, ordenaré que te arrojen al barranco.

—Pero me ha costado mucho conseguir este pescado y tengo mujer e hijos en la mayor pobreza y...

Entonces el jefe de la guardia le asestó un bofetón.

—He dicho la mitad de la recompensa. ¿Lo prometes?

—Lo prometo —aseguró el hombre, tras comprobar que no le quedaba otro remedio.

Seguidamente, fue llevado hasta el rey. Le entregó el pescado, y el rey, muy satisfecho, haciéndosele la boca agua, dijo:

—Dad la recompensa a este hombre.

—Quiero elegir la recompensa —dijo éste.

—Bueno, bueno —accedió el monarca—. Dadle lo que pida.

—Mil latigazos es lo que quiero —dijo el hombre.

—Pero ¿estás loco? —exclamó el monarca, estupefacto.

—Es la recompensa que quiero: mil latigazos.

El rey se encogió de hombros y dijo:

—Complacedle, pero que sean muy suaves.

El hombre comenzó a recibir los latigazos; eran suaves como caricias. Cuando ya hubo recibido quinientos, dijo:

—¡Alto! El jefe de la guardia me ha exigido la mitad de la recompensa. Se la he prometido y no quiero faltar a mi palabra.

El monarca se encolerizó porque dedujo lo que había sucedido. Así que hizo llamar al jefe de la guardia y le propinaron quinientos latigazos, pero esta vez muy fuertes.

Comentario

La injusticia sigue impregnando la humanidad y dando lugar a todo tipo de abusos, muchos de ellos provocados por la avaricia y los malos sentimientos. Nada hay tan maravilloso como un corazón bondadoso, ni nada tan feo como un corazón malévolo. Pero ante las personas aviesas hay que saber protegerse y defenderse, desde luego, evitando ser tajo para sus crueles espadas. Todos, empero, tenemos que hacer un trabajo riguroso y persistente sobre los afectos, para erradicar hasta donde sea posible los sentimientos innobles, la avaricia y las tendencias a infringir algún daño a los demás. Por tanto, el trabajo sobre la esfera emocional es de suma importancia y de notables consecuencias. Hay que estimular y desplegar pensamientos nobles y sentimientos amorosos para ir superando las tendencias inconscientes de la mala voluntad. Se trata de desenmascarar y reconocer las tendencias destructivas para irlas desarticulando y asimismo desplazarlas mediante intenciones y tendencias amables, constructivas y de buena voluntad. Los sentimientos, los pensamientos, las palabras y los actos de animosidad deben ser erradicados.

La tristeza del océano

Un buscador espiritual había perdido la confianza en la enseñanza y en sí mismo. Durante años había aspirado a fundirse con la mente cósmica, pero su motivación y su fe se habían debilitado. Como consecuencia, había dejado de meditar y se había entregado a una vida hueca e insustancial, extraviado en toda suerte de trivialidades. Pero se sentía muy insatisfecho y un atardecer, en el colmo de la tristeza, se sentó en la playa. Observó el mar, de un azul oscuro, con olas batiendo sin cesar que generaban una capa de espuma.

—¡Estoy tan triste, tan desolado, tan perdido! —se quejó en voz alta.

Y su sorpresa fue mayúscula cuando el océano le replicó:

—También yo estoy muy triste. Mi azul oscuro es de luto, porque me siento como muerto por haberme desgajado de la mente cósmica. Mi furia y mi hervor es la rabia que siento por esa separación de la mente cósmica. Ella es mi amada, estaré de luto y no dejaré de protestar con mi oleaje, a veces incluso furioso, hasta que vuelva a unirme a ella.

El hombre se quedó atónito. Lágrimas purificadoras, surgidas del alma, comenzaron a deslizarse por sus mejillas. De nuevo sintió el afán de completar su evolución y su caminar hacia lo intemporal. Hizo una inclinación de agradecimiento y respeto al océano con la cabeza y se perdió en la desnuda y bella extensión de la playa.

Comentario

La vida de un buscador espiritual no es fácil. A menudo le asalta el pavor de la separación, el ansia por la unidad y una inmensa e irrefrenable soledad. Es la suya una larga peregrinación hacia el origen, un origen que está dentro de sí mismo y se intuye, como el edén del que hemos sido exiliados, donde todo es inefable quietud y consuelo. El buscador se mueve por su insatisfacción y descontento, a la búsqueda de una «tierra» de equilibrio, armonía, sentido y plenitud. Hay personas refractarias a la búsqueda; otras que son indiferentes a la misma; las hay cuya principal razón de ser es buscar y seguir la vía del retorno hacia la unidad. La búsqueda es propósito y significado, pero no está exenta de zozobras y amarguras hasta que se divisa una luz y un sentido. Como dice Tagore: «Si echo mi misma sombra en mi camino, es porque hay una lámpara en mí que no ha sido encendida». En el anhelo por encender esa lámpara interior, el buscador tantea enseñanzas, métodos y vías, rastreando, como un persistente sabueso, la senda hacia lo incondicionado.

Pero el abatimiento ensombrece a veces inevitablemente el alma del buscador; surge el desfallecimiento, la duda, el sinsentido, la zozobra de la absurdidad y el desaliento. A veces incluso se abandona durante un tiempo la senda del retorno, la búsqueda. Pero el verdadero buscador siempre acaba por volver a la indagación, la persecución de realidades de orden superior, el implacable rastrear del sentido. El buscador se revela, sí, contra los automatismos de la naturaleza, contra el poder acaparador de la existencia, con sus limitaciones de entendimiento, y se esfuerza denodadamente por comprender y seguir buscando el camino secreto que conduce al propio corazón, donde poder hallar certidumbre, armonía, belleza y plenitud. Para ello debe renovar sus energías y no permitir que su ánimo se herrumbre, tiene que servirse sabiamente de sus instrumentos vitales (cuerpo, mente, fuerza vital) y tratar de mantenerlos en la mejor situación posible; aprendiendo a actuar sin ligarse, a hacer sin dejar de ser, a entregarse sin extraviarse, a practicar la meditación para desempañar la mente, a activar el eco que impregna su alma de infinitud y tratar así de rememorar la senda de vuelta al hogar interior.

Se ha puesto un proceso en marcha, incluso a pesar del mismo buscador, y este proceso, inexorable, sigue su curso. El buscador de la realidad está en el mundo, pero una parte de él está más allá del mundo. Es como un viajero que pasa por esta contradictoria experiencia que es la vida humana, donde hay muchos callejones sin salida que deben ser evitados y muchos riesgos de dormirse y de que se silencie el eco de infinitud impreso en el alma. Será esta vida el encuentro con el dolor y la alegría, el placer y el displacer, el triunfo y la derrota, las luces y las sombras. El buscador, sin perder la brújula del entendimiento, debe proseguir hacia la unidad y tratar de pasar por esta vida evitando en lo posible hacer daño a cualquier criatura y poniendo medios para ayudar en la medida de sus posibilidades, sin dejarse aturdir ni absorber por los reflejos, y aplicando el ánimo sereno cuando la dinámica existencial se empeña en poner en el camino toda suerte de vicisitudes y contratiempos.

En esta búsqueda serán muy bienvenidas personas que también buscan, para relacionarse con ellas, pero muchas veces no se hallarán y el sentimiento de soledad se tornará más desgarrador si cabe; porque la verdadera compañera es la búsqueda misma, que es el noble intento por llevar una vida noble y que pueda ser aprovechada para desarrollar un tipo de entendimiento superior y una conducta más apacible y amorosa. Los que no buscan no comprenden al que busca, como el saciado no entiende al hambriento. Pero volviendo a Tagore, y como él diría, sólo ve las espinas el que también mira la rosa. El buscador holla un camino espinoso en busca de la rosa de la sabiduría. Se esfuerza por seguir adelante y la ruta no es fácil, porque a cada instante hay que morir para volver a nacer y no dejarse condicionar por la vieja psicología y todos sus modelos condicionantes.

Así como la serpiente muda su piel y por eso ésta siempre está lustrosa, debe el buscador tratar de no acarrear la «piel» de los venenos emocionales, las frustraciones, las heridas y los condicionamientos. Tiene que evitar que lo anterior coloree lo presente, para lograr así que cada momento adquiera su peso específico y su mensaje, su enseñanza y su orientación.

El hipócrita

Un padre muy anciano tenía dos hijos. Uno de ellos era muy bondadoso, en tanto que el otro sólo había demostrado interés por el padre cuando necesitaba algo de él. El hijo bondadoso estaba enfermo, y el otro se había despreocupado de él por completo. Cuando el padre iba a morir hizo testamento en un pliego de papel; dejó el ochenta por ciento de la herencia al hermano bondadoso y el veinte por ciento al otro. Pero he aquí que, por los caprichos imprevisibles del destino, una jarra de manteca clarificada cayó sobre el pliego de papel tras la muerte del anciano y los nombres de los hijos no eran visibles. El hijo egoísta, gimoteando, fue al juez para decirle que a él le habían dejado el ochenta por ciento de la herencia, porque había sido un hijo modelo. Pero el juez no sabía qué resolución tomar. Así que decidió no tomar ninguna decisión hasta que viese el asunto más claro.

Llegó el día del entierro. Como el anciano era muy querido, todas las gentes del pueblo asistieron al sepelio. El hermano bondadoso caminaba en silencio, sin aspavientos, sufriendo íntimamente su dolor; pero el hermano hipócrita daba gritos desgarradores, se golpeaba el pecho y se desplomaba en el suelo de vez en cuando para que los asistentes creyeran que sufría mucho. Cuando el cadáver fue puesto sobre la pira funeraria, ambos hermanos comenzaron a llorar. Entonces sucedió un hecho portentoso: las lágrimas del hermano bondadoso se fueron convir-

179

tiendo en pétalos y las del hermano egoísta en piedras. Ni que decir tiene que a partir de aquel momento el juez encontró elementos fiables con los que juzgar.

Comentario

El ego es un sentimiento de individualidad. El problema no es el ego en sí mismo, sino el ego sobredimensionado y que se despliega como egoísmo, egocentrismo o egolatría. En ese caso, la persona es víctima de su ego y sólo vive para alimentar esa cualidad egocéntrica que no le permite ver las necesidades ajenas, que embota su sensibilidad, que sólo le permite pensar en sí misma. Un ego tal, exacerbado, es la fuente de la infatuación, la autoimportancia, la arrogancia, la avidez desmedida y la avaricia en general. Un ego así es una calamidad, pero un ego disciplinado, que es como un buen mayordomo obediente, que se puede encauzar noblemente, deja de ser un problema. Nadie puede eliminar su ego, que es la identificación con el cuerpo y la mente, pero sí se puede reducir, reeducar y dominar, sin permitir que se torne desmesurado y voraz. Hay que apaciguar las tendencias compulsivas del ego y saber encauzarlas positiva y noblemente.

La persona egoísta no puede tejer buenas relaciones afectivas, y menos aún entablar lazos afectivos estables y generosos. Se torna mezquina e insensible y orienta toda su voluntad hacia su propio bienestar en detrimento de las demás criaturas. El ego sobredimensionado crea un ansia desmesurada y la persona se torna cautiva de sí misma, de forma que quedan frenadas o bloqueadas todas sus potencias de evolución y madurez.

Los amigos bromistas

Unos amigos muy bromistas decidieron gastarle una broma a uno de sus compañeros. Fueron a verle y le dijeron:

—El maestro Ananda nos ha dado una palabra mágica para ti y cualquier cosa que te propongas la conseguirás si la recitas mentalmente. Es un mantra muy poderoso.

El muchacho se sintió muy complacido. Mientras paseaba por el bosque con sus compañeros éstos le dijeron:

—Mira ese gran precipicio. Sáltalo. Seguro que con el mantra del maestro Ananda no te ocurrirá nada.

El muchacho, sin dudarlo, saltó, a la vez que repetía la palabra mágica, y llegó a tierra firme sin hacerse ni un rasguño. Al cabo de unos días, los otros le propusieron:

—En el fondo del mar hay un cofre con monedas de oro que cayeron de un barco. Si alguien lograra bucear hasta allí podría recobrarlas. Sin duda, tú, con el mantra, puedes conseguirlo.

El muchacho, de nuevo sin vacilar, fue al lugar indicado, buceó durante mucho rato y logró hacerse con las monedas de oro. Sus amigos no salían de su asombro; había desafiado al vacío y a las profundidades marinas. Era algo de lo más insólito. Entonces, días después, una casa se incendió. Dentro se oía llorar a una criatura. Los jóvenes le propusieron de nuevo a su amigo que enfrentase el peligro y salvara al niño. El muchacho entró en la casa, entre grandes llamaradas, y regresó con el crío en sus

181

brazos. Los amigos estaban tan desconcertados que decidieron confesarle a su compañero la verdad.

—Pero tienes tanto valor —le dijeron— que podrás seguir acometiendo hazañas y proezas.

—Os aseguro que no —repuso con firmeza el muchacho—. Antes no sentía miedo, porque creía que la palabra mágica me protegía de todo. Ahora, sin su protección, no podría repetirlo. Lo cierto es que incluso siento terror por lo que he sido capaz de hacer.

Comentario

Muchas veces la mayor limitación está en la mente, que puede ser el más implacable enemigo y la peor atadura. La mente nos puede ayudar o no, impulsar o frenar, alentar o desanimar. Muchas veces depende también de la confianza que se tenga en uno mismo y en los propios recursos internos, confianza que debe prevalecer en lo posible en la vida diaria, pero sin exigirse narcisistas ni neuróticos triunfalismos. El ser humano, con frecuencia, requiere un «punto de apoyo» para desencadenar la confianza, si bien ésta surge dentro de uno mismo. La confianza es una energía que pone en marcha la intrepidez, la decisión y la fortaleza, del mismo modo que esa otra valiosa energía que es la motivación activa el anhelo perseverante y permite sacar fuerzas de flaqueza. Pero en el arte del noble vivir hay que ir desarrollando y actualizando la energía de la confianza en los propios recursos, incluso sin necesidad de puntos de apoyo, sabiendo que el más sólido, estable y consistente punto de apoyo está en uno mismo y se consigue con la consciencia clara, la visión lúcida, la benevolencia y la intención amorosa.

La diosa

Una diosa estaba locamente prendada de Dios. Un día estaba paseando y al ver a un grupo de campesinas se dirigió a ellas y les comentó:

—Amigas mías, qué será que dondequiera que mire sólo veo por doquier el rostro de mi amado Dios.

Las mujeres exclamaron:

—¡Oh diosa! Está claro que has aplicado a tus ojos el colirio del amor y por todas partes ves a tu amado.

Comentario

Igual que nos lavamos los dientes, si pudiéramos aplicarnos el colirio del amor más desinteresado e incondicional, cambiaría *ipso facto* la faz del mundo. Si algo necesita este mundo, si de algo está carente, si de algo está hambriento, es de amor. El amor consciente, es decir, a la luz de la sabiduría, no es posesivo, ni dominante, ni manipulador, ni tampoco dócil o abyecto, ni dependiente, ni acaparador. No se basa en reproches, ni es impositivo, ni exigible, no se recrea en exigencias y expectativas, ni se convierte en una transacción (aunque sea afectiva). Es un amor más desprendido, interdependiente y mutante, que pone alas de libertad y no grilletes, que sabe descubrir y atender las necesidades ajenas, que sabe asir y soltar, que colabora en el crecimiento espiritual y personal de los demás, aun a riesgo de perderlos.

Es un amor que abona emocionalmente con un afecto sentido e incondicional, no se empeña en «reducir» a los demás a los propios moldes o invenciones, considera a la persona y no sólo el placer que ésta reporta. No vincula neuróticamente pero sí talla vínculos sanos y para el desarrollo propio. Ese amor debe recrearse y expandirse, y como si fueran pétalos arrojarlos en todas las direcciones, a todas las criaturas. Ese afecto incondicional se basa en el reconocimiento lúcido de que todos buscamos felicidad y que a nadie le gusta el sufrimiento. Se debe configurar una sinergia para encarnarnos en todos, pues nada hay tan incalificable como herir intencionadamente.

El amor es un sentimiento de simpatía y empatía, de fusión sin simbiosis enfermiza, de compasión genuina. Todos tenemos que adiestrarnos en ese amor más consciente e incondicional, que no debería faltar en el arte del noble vivir, comprender que incluso «la brizna de hierba es digna del vasto mundo en donde crece» (Tagore) y tratar de desplegar un sagrado respeto por toda forma de existencia. Así como el odio contrae, restringe, envenena, crea discordia, emponzoña, desasosiega, obsesiona, ata y empobrece espiritualmente, el amor expande, libera, revitaliza, origina concordia, nutre anímicamente, serena, apacigua la mente, libera y enriquece vital y espiritualmente.

El poder del hábito

Uno de los discípulos de Buda había trabajado sin tregua para seguir la vía hacia la iluminación. Antes de su iluminación tenía un carácter muy difícil y a menudo humillaba a los oyentes de sus pláticas acusándoles de descastados. Tras alcanzar la liberación espiritual, solía reunirse con un grupo de aspirantes espirituales y les hablaba de la enseñanza y sus excelencias. Pero de cuando en cuando, y ante la sorpresa de todos, seguía llamándoles descastados. Intrigados algunos de los aspirantes, fueron a Buda y le expusieron lo que sucedía. El maestro les explicó:

—No se lo tengáis en cuenta. Ahora él es todo compasión y benevolencia. Cuando antes llamaba así a los que le oían lo hacía como insulto y en su corazón había ira, pero ahora llama así a los que le escuchan por la fuerza del hábito, pero en su corazón sólo hay compasión.

Comentario

El hábito tiene su lado positivo y su lado muy negativo. No nos referimos a hábitos externos, sino a hábitos internos. El lado positivo del hábito es que facilita el aprendizaje, pues ahorra un exceso de tensión e inversión de energía y atención. Pero ahí también germina su lado negativo, porque tiende a anquilosar, robar consciencia, mecanizar e imponerse. Por eso es necesario activar el poder de la atención y sustraerse así a la actitud mecánica y opresión del hábito mental y emocional. Hay que batallar con inteligencia, sobre todo contra los hábitos negativos que tanto condicionan el pensamiento, las palabras y los actos. Y ello sólo es posible mediante la plena consciencia, cuyo campo de pruebas es la meditación sentada. Al sentarse apaciblemente, inmovilizar el cuerpo, retirarse temporalmente del bullicio cotidiano, remansarse y permanecer atentos a un objeto de meditación, ya se está emprendiendo una contienda importantísima contra los automatismos de la mente, allí donde arraigan y se desenvuelven muchos hábitos nocivos.

El río angustiado

Era un río caudaloso y que se deslizaba sorteando obstáculos, sin que nada pudiera frenar su curso. Atravesó valles, gargantas, bosques, junglas y desfiladeros. Imparable, seguía su curso. Pero de repente llegó al desierto y sus aguas comenzaron a desaparecer bajo la tierra. El río se espantó. No había manera de atravesar el desierto y anhelaba poder desembocar en otro río. ¿Qué hacer? Cada vez que sus aguas llegaban a la arena, ésta se las tragaba. ¿Es que no habría forma de cruzar el desierto? Entonces escuchó una misteriosa voz que decía:

—Si el viento cruza el desierto, tú también puedes hacerlo.

—Pero ¿cómo? —preguntó el río, desconcertado.

—Permite que el viento te absorba. Te diluirás en él y luego lloverás más allá de las arenas, se formará otro río y éste desembocará en otro mayor.

—Pero ¿seguiré siendo yo? —preguntó el río, angustiado, temiendo perder su identidad.

–Serás tú y no serás tú. Serás el agua que llueva, que es la esencia, pero el río será otro.

—Entonces me niego a ello. No quiero dejar de ser yo.

Las aguas del río se extinguieron en las secas arenas del desierto.

Comentario

Nada alarma y angustia tanto a la mayoría de los seres humanos como liberarse de la propia personalidad y el pequeño yo con el que férreamente se identifica, y que trata de engordar a costa de lo que sea. Pero el yo es precisamente la barrera que frena la conquista de lo que está más allá de él y su perversa burocracia. El pequeño yo es provisional y es el exacerbado sentido de la separación. El sentido de individualidad en la totalidad es hermoso; el sentido de separación es feo. Quien se aferra al ego no mira el hermoso rostro del ser. La meditación no es el refuerzo del ego, sino el salto hacia el ser. Muktananda declara: «Gracias a la meditación, llegamos a tener consciencia de nuestra unidad fundamental con todas las cosas». Por su parte, decía Aurobindo: «El centro de toda resistencia es el egoísmo y debemos perseguirlo en toda cobertura y disfraz, sacarlo y matarlo; pues sus disfraces son interminables y se apegará a todo fragmento de autoocultamiento posible».

El filósofo contra las cuerdas

Un magnífico filósofo al que a menudo la gente le planteaba las más sutiles cuestiones siempre sabía hallar la respuesta oportuna. Un día, estaba paseando plácidamente y se topó con dos mozalbetes que discutían acaloradamente. El filósofo les dijo:

—Jovencitos, no riñáis. Decidme cuál es el motivo de vuestra apasionada discusión.

Uno de los niños respondió:

—Yo aseguro que el sol está cerca de nosotros cuando sale y se aleja al mediodía.

El otro intervino:

—Pues yo digo lo contrario. El sol está más lejos cuando sale y mucho más próximo al mediodía.

El filósofo les pidió que se sentaran a su lado y le razonaran sus respectivos puntos de vista.

El niño que había hablado en primer lugar dijo:

—El sol es más grande cuando surge en el horizonte y se torna más pequeño cuando asciende hacia el centro del cielo. ¿Acaso no parecen más grandes las cosas cuando están más cerca y más pequeñas cuando están más lejos?

—Es un buen razonamiento —declaró el filósofo.

El otro niño dijo:

—¿Acaso no calienta el sol mucho más al mediodía que cuando surge en el horizonte? ¿Y no calienta más algo cuando está próximo que cuando está lejos?

—Otro buen razonamiento —dijo el filósofo.

Entonces los dos niños dijeron:

—Tú tienes fama de saber mucho; eres un afamado filósofo. Dinos quién de nosotros tiene razón.

El filósofo se quedó perplejo. Aquellos mozalbetes le habían puesto contra las cuerdas.

—No sé qué deciros —repuso consternado.

Los dos muchachos rieron y se pusieron a jugar alborozados.

Comentario

De buenos razonamientos, pero inútiles y de escaso alcance, el mundo está lleno; también de palabras altisonantes, de propósitos laudables que jamás llegan a la práctica ni se materializan, de manoseadas palabras de esperanza. Pero el caso es que mientras la mente no renuncie a su egocentrismo, su voracidad y su odio, difícilmente puede mejorar la calidad de vida psíquica y transformar la consciencia planetaria nihilista y destructiva en una consciencia planetaria sensata e iluminada. El razonamiento se puede poner, por supuesto, al servicio de lo más destructivo y, muchas veces, sus informes contienen esas verdades a medias que son las peores mentiras.

¿Cómo el ser humano, después de millones de años de estrepitoso fracaso en cuanto a la evolución de la consciencia, no se da cuenta de que es necesario ir más allá de los recursos del pensamiento ordinario, descubrir precisamente lo que hace posible el pensamiento y desarrollar otros modos de especial percepción y sabiduría discriminativa que sólo a través del razonamiento ordinario pueden sobrevenir? Sabemos muy poco de nosotros mismos, si es que algo sabemos (y esto incluye a los científicos, a veces muy arrogantes), y no asumimos con humildad que el tan cacareado intelecto humano, tenido a veces por omnipotente, tiene un campo muy limitado aunque imprescindible. Hay que poner los medios para conocerse e ir más allá de la mente ordinaria, fría y calculadora, que mide, organiza (y en la organización comienza la simiente de la putrefacción), rotula, etiqueta y finalmente asesina la vida, le quita su fragancia y le roba su vitalidad.

Tratamos de resolverlo todo, menos a nosotros mismos; miramos hacia todos los lados, menos a nosotros mismos. Toda la sociedad está especialmente confabulada para seguir la vía de la alienación y el escape paranoico, pero no la senda del encuentro de uno mismo y la integración. La vida sin verdadero afecto es un fracaso rotundo, más aún: un miserable y feo simulacro. Vivir convirtiendo la vida en un noble arte no es sólo sumergirse en conceptos e ideas, sino en uno mismo, para ir más allá de uno y ver en el propio corazón el rostro de todas las criaturas, el reflejo del propio rostro original.

No es a través de la filosofía, ni del simple razonamiento, ni de la ciencia, como puede desarrollarse la experiencia: «Lo absoluto es uno y se manifiesta en cada individuo, presentándose a la vez como múltiple y como uno, del mismo modo que la luna reflejándose en las aguas en movimiento». Y cuando se realiza esa experiencia en uno mismo, ya sólo puede haber caricias para las otras criaturas y no golpes.

La queja

Un buscador espiritual de Occidente recorrió numerosos países de Asia en busca de un maestro que él considerase adecuado para impartirle la enseñanza mística. Sin embargo, no lo encontró. Ningún mentor terminaba de satisfacerle. Después de recorrer muchos lugares, un día se encontró con un anciano que le inspiraba mucha confianza y le abrió su corazón para quejarse:

—Es increíble que habiendo recorrido miles y miles de kilómetros no haya encontrado el maestro adecuado. Estoy desmoralizado.

—Pero ¿has encontrado maestros? —preguntó el anciano.

—Sí, muchos —repuso el occidental—, mas ninguno me ha convencido.

Y el anciano repuso:

—Afortunado tú que has encontrado muchos maestros, porque yo llevo muchos años buscando un discípulo genuino y no lo he hallado.

Comentario

Hay un adagio que reza: «La verdad protege al que la practica». Ciertamente, se debe poner en práctica. La libertad interior hay que ganarla, y la gracia es un estado de plenitud que sólo eclosiona cuando la persona se ejercita para que esta maravillosa invitada, que tiene también el sobrenombre de sabiduría, pueda manifestarse. La claridad y sosiego de la armonía está dentro de cada uno, pero para hallarla hay que ir disipando los densos velos que la cubren. Muchas personas aspiran a que otros lo hagan por ellos, pero ésa es una actitud infantil e ignorante. No se encuentra el sosiego huyendo de uno mismo —y la compulsiva búsqueda de un maestro también puede ser una huida para muchas personas—, sino al contrario, desplazándose hacia el propio interior. Ni siquiera hay que aferrarse, apegarse o depender del maestro, aunque éste sea un liberado-viviente.

Siempre queremos apoyarnos en alguien o algo con tal de no hacerlo en nosotros mismos ni encarar constructivamente y al desnudo, sin amortiguadores peligrosos, nuestra soledad de seres humanos, tanto más espantosa si nos empeñamos en huir de ella, pues siempre está presente. La soledad también es un gran mentor, como la vida misma si hacemos de ella un continuo aprendizaje, como las criaturas que nos rodean o los eventos que sobrevienen. No convirtamos también al maestro en una idea, un subterfugio, un escapismo o un autoengaño. Cada uno tiene que desarrollar sus propias alas para poder volar, y más valen las alas de uno, aunque a veces torpes, que las de otro, por muy hábiles que sean.

El jefe de caravanas

Era el mejor y más intrépido jefe de caravanas, pues conocía las rutas más seguras y estaba capacitado para enfrentarse a los más temibles bandoleros. Un monarca solicitó sus servicios para que acompañase a su hija, una bellísima princesa, a otro reino, pues iba a casarse con un príncipe que allí residía.

—Te confío a mi hija —dijo el monarca—. Debe contraer matrimonio de aquí a un mes.

Pero el jefe de caravanas no sólo era un intrépido, sino también un gran fanfarrón que sólo se preocupaba por conseguir su propio placer. Cuando vio a la joven y bellísima princesa, le dijo a sus hombres:

—Me juego una tinaja de vino a que la seduciré antes de que lleguemos a nuestro destino. No hay mujer que se me resista.

El jefe de caravanas desplegó sus mejores artes de seductor, hasta que logró hacer suya a la princesa. Pero la joven, al llegar a su destino, arrepentida, se lo hizo saber a su prometido. Se enteró el monarca y ordenó que prendieran al jefe de caravanas y que la guardia le abrasara los ojos con hierros candentes hasta dejarle ciego.

El jefe de caravanas se convirtió primero en un mendigo errante y después comenzó a practicar el milenario arte de la alfarería. Se volvió una persona humilde y encantadora y, paulatinamente, fue consiguiendo mucha sabiduría, hasta convertirse en un ser tan sabio que el mismo rey le hizo llamar para que le impartiera enseñanzas espirituales. Se convirtió así en el mejor alfarero del reino y el monarca le pasó una paga de por vida, por lo que el ciego regalaba las piezas que preparaba con sus manos, pues aunque los ojos físicos no podían ver, había comenzado a hacerlo con los del espíritu.

Comentario

Nos cuesta comprender que más allá de las fuerzas del destino o del azar, incontrolables e imprevistas, también la persona puede hacerse el bien o el mal, o bien tener actitudes nocivas o por el contrario laudables. Uno mismo puede ayudarse o desayudarse mucho, aunque ciertamente hay eventos que nos favorecen y otros que nos contrarían.

Cuando nos dejamos condicionar por nuestra vanidad y nuestras tendencias ciegas o neuróticas, no es de extrañar que nos topemos de golpe con el muro de nuestra propia ofuscación o necedad, del mismo modo que cuando estamos más atentos, armónicos y lúcidos tenemos más posibilidades de no dañarnos a nosotros mismos y a los demás. Si una persona lograse mantener lucidez de mente y ternura de corazón, sus pensamientos, palabras y obras estarían menos condicionados por la avidez y el odio, y no sólo dejaría de perjudicar a las otras criaturas, sino también a sí misma.

La ninfa y el sabio

En el joven Dashura latía con ímpetu el anhelo de autoperfección, desde niño se había ejercitado en las prácticas del yoga. Pero ¿a quién no alcanza el sufrimiento? Un día murieron los padres del joven y éste se sumió en una tristeza profundísima; lloraba desconsoladamente. Entonces los dioses del bosque, donde el muchacho acostumbraba a realizar sus prácticas de yoga, se le presentaron para decirle que no se dejara abatir y que utilizase el discernimiento para entender que todo es transitorio en el universo de los fenómenos constituidos. El joven se repuso, pero quería dejar la vida mundana y dedicarse por entero a la búsqueda interior. Para poder meditar tranquilo, se encaramó a la cima de un árbol y allí moró durante mucho tiempo, entregado a las prácticas espirituales, con una motivación inquebrantable. Así terminó por convertirse en una persona realizada.

Cierto día, una maravillosa ninfa de incomparable belleza se presentó ante el sabio y le dijo:

—Sé, venerable sabio, que como hombre altamente realizado has adquirido poderes. Todas las ninfas tienen hijos, excepto yo, y si no me quedo encinta me arrojaré a una pira y convertiré mi cuerpo en cenizas. Necesito un hijo.

El sabio le dijo:

—Te voy a dar una planta que reproduce hermosas flores. Si tomas una de ellas, quedarás encinta.

La ninfa tuvo un hijo. Cuando el niño alcanzó la edad de doce años, fue a visitar al sabio y le dijo:

—Señor, he venido a verte con tu hijo. Le he educado todo lo mejor que he podido y le he mostrado innumerables cosas, excepto una, para la que no me encuentro suficientemente preparada. Me refiero a instruirle en la senda de la liberación. Mi labor ha llegado a su término; ahora comienza la tuya. Condúcele por la senda del autoconocimiento.

La ninfa se marchó y dejó a su hijo a cargo del sabio, porque sabía bien que nada es tan importante como el anhelo de liberación.

Comentario

En la Antigüedad era común que los padres eligieran para sus hijos un mentor espiritual que les instruyese para liberar la mente de sus oscurecimientos, y que les hiciese progresar en la senda hacia la sabiduría. Eso era en la Antigüedad, pues ahora la mayoría de los padres en todo caso se inclinarían más por elegir para sus hijos preceptores que les enseñaran a «rentabilizar» la vida, aun a riesgo de perder la salud mental. Pero en la Antigüedad había personas que sabían que la vida sin sabiduría es una representación insustancial e incluso fea. A todos los seres humanos deberían educarnos con el supremo anhelo de liberación, mejoramiento y sentido de la benevolencia. En lugar de enseñar a las personas el arte del noble vivir, a menudo se les muestra una mala copia del mismo y se ahoga, incluso en el adolescente, el afán de libertad interior. Así se satura la mente con modelos, patrones, descripciones, estructuras y clichés, los cuales tienen que eliminarse con mucho esfuerzo cuando renace el sentimiento de búsqueda espiritual.

El autor de esta historia tuvo la hermosa fortuna de contar con su madre como mentor de espiritualidad y de tomar de ella sus exquisitas sensibilidades místicas, pero hay infinidad de personas que ni siquiera saben o intuyen que no sólo puede utilizarse la vida para mejorar la calidad de vida exterior —lo cual es muy lícito y deseable si no es a costa de las otras personas o criaturas—, sino también para perfeccionar la interior. Cualquiera puede servirse de la firme determinación y un asiduo esfuerzo de voluntad para ir desarrollando lo mejor de uno mismo y seguir la vía hacia la liberación de la mente, disipar la ofuscación básica, de la que nacen tantas cualidades destructivas y autodestructivas, y activar los propios y preciosos recursos de integración anímica y óptima relación con los otros seres.

Esa vía de iluminación está libre de dogmatismos o creencias preestablecidas, nadie ha sido su artífice y por tanto no tiene otro color que el de la libertad interior y la compasión. Nadie puede atribuirse la prerrogativa de haber concebido esa vía, anterior a todo maestro, pero en la que los grandes maestros se han inspirado y a partir de la cual han impartido valiosas instrucciones para poder seguirla con éxito. No es propia de cualquier religión, aunque las religiones se inspiren —o a veces se «mal inspiren»— en la misma. Por tanto, es suprarreligiosa y nunca coercitiva, y está abierta a personas de todas las creencias o de ninguna. No sabe, pues, de divisiones, y por ello nunca entronca con una religión institucionalizada, puesto que su signo es la unidad y la búsqueda de la unidad (mística).

¿Qué es la vida?

Paseaban apaciblemente un maestro y su discípulo, y éste le preguntó al primero de repente:

—¿Qué es la vida?

—Camina.

—Pero ¿qué es la vida?

—Sigue caminando.

Comentario

La vida es para vivirla, pero armónicamente; con intensidad, pero sin tanto aferramiento o apego; con vitalidad y lucidez, desde la quietud y la compasión, para liberar la mente de grilletes y lograr que las conductas no sean en lo posible lesivas ni para uno mismo ni para los demás. La vida se hace viviendo, como se camina caminando. No se vive a través de las ideas, los proyectos, los recuerdos y las imágenes; se vive abriéndose a cada instante de vida, viviendo cada momento, paso a paso, tratando de mantener la consciencia desierta y clara, sensitiva y equilibrada, vital y sabia. No se llega a la vida a través del saber ni la erudición, ni con rótulos o etiquetas, ni con disquisiciones filosóficas o abstracciones metafísicas; al revés, a menudo todos esos duendes mentales y esa necesidad compulsiva de rotular y clasificar puede mermar las mejores energías vitales y desecar cada acontecimiento vital.

Puede darse la circunstancia en no pocas personas de que la idea usurpe el lugar de la realidad, y de que la vida se esté asesinando en el escenario de la mente intelectiva. Del mismo modo que el agua es para beberla, la vida es para vivirla y no sólo para estar conjeturando, argumentando y elucubrando sobre ese fenómeno que es, porque, además, es inasible a cualquier lógica. Es importante caminar por la vida sin dejar de aprender, con la mente fresca y renovada, la mirada aguda y perspicaz, el ánimo sereno y equilibrado, esforzándose por adquirir autoconocimiento y libertad interior. Se trata de vivir con la plena constancia de que, como indican los sabios de Oriente, «su duración es como la de una gota de agua que resbala sobre la hoja del loto». No hay tiempo para apegos bobos y mezquinos, inútiles reyertas y fricciones, pusilánimes estados de ánimo o fútiles lamentaciones. Hay que poner los medios para vivir más armónicamente y aprovechar cada situación y circunstancia, para conocerse y cumplir la realización de uno hasta donde sea posible.

Pero también hay que celebrar las ocasiones y disfrutar, sin aferramiento, desde la libertad interior, valorando lo esencial y sin dejarse atrapar por lo trivial, que tanto llega a confundirnos y mortificarnos. Nada tan esencial como la óptima relación con los seres queridos y con nosotros mismos; nada tan fundamental como el respeto a toda forma de vida; nada tan sustancial como proseguir en el desarrollo de uno, para no identificarse tan ciegamente con el ego, y empezar a fluir con la sabiduría de nuestra naturaleza real. Que la vida no deje de ser aprendizaje; que prosiga el caminar hacia fuera y hacia dentro, y que también se sepa detenerse, pararse y deleitarse en la propia interioridad. Ello se consigue a través de la práctica del recogimiento y de la meditación, liberando la mente de grilletes, desarrollando la visión cabal. Así se mejora el carácter y se obtiene plena vitalidad para estos instrumentos existenciales que son el cuerpo y la mente. Menos disgustos insensatos; menos fricciones banales; menos extravíos psicológicos, disputas o conflictos eludibles; más claridad de mente, quietud anímica y corazón compasivo.

Nada es más amargo que hacer de la vida un revoltijo, una inútil masa de sufrimiento, un desbarajuste para nosotros mismos y para los demás, creando sufrimiento propio y ajeno que bien podría evitarse con un poco de inteligencia primordial, sosiego y ecuanimidad. No se trata de vivir mecánicamente, con una consciencia más pobre que la de una lechuga, sino de vivir plena y conscientemente, aprendiendo lo mejor y desaprendiendo lo pernicioso, naciendo y muriendo para volver a nacer, tratando de estimular estados sublimes como compasión, generosidad, alegría compartida y ecuanimidad, porque uno mismo puede hacerse mucho bien o mucho mal, puede beneficiar mucho a las otras criaturas o perjudicarlas. Cuidémonos y cuidémos a los demás; no seamos miserables ni con nosotros ni con las otras criaturas. Esforcémonos un poco, consciente y diligentemente, para superar los impedimentos de la mente. Que florezca la clara consciencia, que nos permita armonizar y no desarmonizar, crear y no destruir, cooperar y no perjudicar.

La avidez

—Maestro, ¿cuál es la persona más feliz?
—La que no codicia.
—¿Y la más desgraciada?
—La que no deja de codiciar.

Comentario

No hace falta hacer un minucioso análisis de la sociedad en la que nos desenvolvemos para darse cuenta, incluso aunque seamos poco sensibles, de hasta qué punto sus «ideales» y objetivos están basados en una desatada y enfermiza codicia que todo lo anega. Y la sociedad se rige por las pautas que emergen de la mente humana. Pero la persona que codicia vive de espaldas a lo mejor de sí misma, obsesionada por conseguir, acopiar, acumular y seguir acumulando, tornando su alma de madera y encauzando obsesivamente todas sus energías en el afán de obtener y retener. Una persona así no conoce la dicha interior, ni el sosiego, ni la generosidad, ni la compasión. Siempre estará insegura, zozobrante, obsesionada por asegurar y defender lo que tiene e incrementarlo. La codicia no tiene fin. En la codicia misma está el germen del propio castigo. Sometidas a la codicia, muchas personas no tienen ojos ni siquiera para su propio bienestar real.

Son máquinas guiadas ciegamente por sus neuróticas potencias de codicia desmedida. No hay en sus mentes claridad, cordura ni, por supuesto, el menor signo de compasión. Sin compasión, la vida de estas personas es una copia pésima de lo que debe ser; por tanto es fea y mediocre, aburrida y desierta.

El ayuno de la mente

—Maestro, ¿hago bien en ayunar?

—Te recuerdo, amigo mío, que no hay ayuno más reparador que el de la mente.

Comentario

El ayuno físico se ha utilizado a lo largo de la historia de la evolución de la consciencia para purificar el cerebro y hacerlo más sensitivo, desintoxicándolo; para fortalecer la voluntad y afirmar la energía; para limpiarse física, mental y emocionalmente; para emprender una intensa práctica meditativa o un enérgico adiestramiento psicofísico. Pero no debe emprenderse como ascesis, ni llevarse a cabo como exceso de celo, pues como dice el antiguo y sabio adagio: «El celo imprudente es comparable a una carrera a ciegas en la noche». Esta admonición vale para todo tipo de posturas extremas. De cualquier modo, no hay mejor ni más elevado ayuno, más lenitivo y purificador que el de la mente: el ayuno de los charloteos, las ideas mecánicas, los apegos y aversiones. Hay un gran poder en el silencio interior: reorganiza, centra, limpia y equilibra, conecta con la fuente de la mente y permite que pueda ser escuchada la voz del yo real. La meditación es el ayuno de la mente. Se detienen las mecánicas actividаdes mentales; la persona es sólo observación, mantiene atención sosegada, alerta ecuánime, mira sin implicarse, percibe en lugar de sólo idear.

El ayuno de la mente la armoniza, renueva, revitaliza y apacigua. Durante la meditación uno se sustrae a los alimentos que provienen del exterior (influencias y estímulos ajenos) y a los detritus del propio trasfondo de la mente y del aparato emocional. El ayuno mental disuelve perniciosas impregnaciones del subconsciente y ayuda a agotar las energías de condicionamientos indeseables; es como devanar «materiales» nocivos para que vayan emergiendo y evacuándose. El verdadero ayuno mental consiste en no reaccionar y mantener la pasividad interior pero con una mente muy atenta y ecuánime. Diariamente se debería, aunque sólo fuera por simple higiene mental, dedicar unos minutos al saludable ejercicio del ayuno de la mente.

El abad Moisés

El gobernador había oído hablar del abad Moisés y tenía curiosidad por conocerlo. Así que decidió ir a visitarlo y, cuando estaba cerca de su celda, se encontró con un anciano y le preguntó por el abad. El anciano repuso:

—¿Para qué lo queréis ver si no es más que un loco y un hereje?

Al llegar al monasterio, el gobernador comentó a los monjes:

—He venido a encontrarme con Moisés. Me he topado en el camino con un viejo al que le he preguntado por él y me ha dejado perplejo al asegurarme que el abad es un loco y un hereje.

Los monjes le preguntaron al gobernador.

—¿Y cómo era ese anciano?

—Alto, de piel muy oscura y va vestido miserablemente.

Y los monjes dijeron:

—¡Pero si ése es el abad Moisés!

Comentario

El sabio no necesita de ropajes, etiquetas, santidad, arrogancia, apariencias, solemnidad, y tampoco todas esas pamplinas que son importantes sólo para los espíritus mediocres, los falsos maestros que tratan de impresionar y los líderes, que en su paranoico juego narcisista se esfuerzan por impresionar. El sabio resplandece por sí mismo y sólo tiene una cualidad: amor. No finge humildad, porque es la humildad; no imita la sencillez, porque es la sencillez; no interpreta la simpleza, porque es la simpleza misma, que palpita como vida por todas partes. Hay una enseñanza en sus sandalias polvorientas, pero sólo algunos saben verla; hay una enseñanza en su particular sentido del humor, pero sólo algunos tienen los oídos abiertos para escucharla; no se comporta de acuerdo a normas preestablecidas ni sabe de modelos sociales, pero es libre como el viento, fluido como un riachuelo, amable como la brisa de un atardecer mediterráneo, apacible como un lago y sonoro como una cascada.

El apego a la existencia

Y el maestro dijo:

—Sí, os lo aseguro, si el grano de trigo cae en la tierra y no muere, queda infecundo; en cambio, si muere, da fruto abundante. Quien tiene apego a la propia existencia, la pierde; quien desprecia la propia existencia en el mundo, la conserva para una vida sin término.

Comentario

Los Evangelios son un manual excelente de pautas, referencias y técnicas para el despertar y la elevación de la consciencia. Los símiles y parábolas utilizados admiten muchas lecturas, en función del grado de madurez mental y espiritual de la persona. Jesús insiste en la necesidad de morir para renacer; mas renacer en esta misma existencia, con otro tipo de mente y actitud, con una psicología que se renueve, revitalice y que no acarree experiencia del pasado ni tenga expectativas de futuro, sino que sepa aprender y dejar pasar, sin retener y menos aún sin acopiar, como el espejo que refleja pero no conserva. Esa sabiduría espejada renueva la mente y sitúa a la persona en una actitud de nacimiento a cada instante, porque a cada instante sabe soltar.

Entre los obstáculos que los antiguos yoguis señalaban en la senda hacia la liberación de la mente, se encuentra el apego a la existencia (esa existencia personal, basada en el esclerótico yo, a la que el ser humano se aferra desesperadamente queriendo que su ego y personalidad sean inmortales). Este anhelo de ego inmortal es un impedimento, como lo son la ignorancia básica, el apego, la aversión y el egocentrismo. El yoga, como medio de liberación que es, propone actitudes y métodos para ir superando estos obstáculos y hallar la liberación definitiva. Para hallar la existencia transpersonal, hay que renunciar al apego a la existencia personal; para poder ascender a un plano más elevado de consciencia, hay que desgajarse el estadio de consciencia mecánica. La muerte psicológica es el acceso a otro tipo de ser renacido; el desapego de la existencia personal conduce a una experiencia de ser suprasensorial y transpersonal.

En la vida cotidiana también hay que aplicar esta lúcida pauta de morir y renacer, para no acumular cachivaches psicológicos y poder renovar la psicología más allá de heridas, traumas y experiencias anquilosadas.

Actuar y reaccionar

Un maestro se dirigió a su discípulo y le dijo:

—Antes de que entiendas lo que significa actuar, tienes que entender lo que significa reaccionar.

Y el discípulo preguntó al maestro:

—¿Puedes explicarme un poco mejor a qué te refieres?

—¡Vuélvete y mira tu propia sombra!

Comentario

La respuesta viva es en el momento y acorde con el estímulo o impacto; la reacción viene dada por el pensamiento, se repite a veces incesantemente y la podemos acarrear durante mucho tiempo. A menudo, se permanece mucho más en la fea reacción que en la respuesta viva, y de cualquier modo se es, por lo general, un reflejo de los condicionamientos e influencias del exterior, pues se reacciona mecánicamente a los mismos por falta de atención consciente y autovigilancia. La reacción mecánica y repetitiva malgasta muchas energías y satura la mente de estados perniciosos. Por otro lado, nos convierte en una «sombra» de los eventos, actitudes y reacciones ajenas, y nos hace perder mucha vivacidad, seguir esquemas o pautas que nos son ajenas, o deja que nos influyan las actitudes de los demás. Así, por ejemplo, reaccionamos constantemente, y de modo mecánico, al placer (apegándonos) y a lo ingrato (generando aversión y odio).

Las reacciones de apego y aversión condicionan nuestras vidas, empobrecen la psicología y encadenan la mente. El enfado, por ejemplo, que deviene como resultado de la aversión, ocupa buena parte de nuestra existencia, la anega de malestar, rabia, desagrado y cólera. La vida es demasiado corta y complicada para añadirle además el sufrimiento debido a las reacciones mecánicas y para anegarla de estados nocivos de ánimo, como enfado, odio, celos, rabia, animadversión, resentimiento, rencor y tantos otros, que colorean nocivamente nuestra psique y la someten a aflicción y esclavitud. Mediante la autovigilancia, la ecuanimidad, el equilibrio interior y la lucidez iremos superando infinidad de feas e incluso mezquinas reacciones que debilitan psíquicamente, crean inútil sufrimiento y desarmonizan. Hay que estimarse y protegerse más, para no ser víctima de la propia insensatez y no añadir ataduras a las ataduras de la mente. No debemos conceder tanto lugar y energía a la aversión, que se presenta con rostros de antipatía, hostilidad, mal carácter, irritabilidad o rabia, y que altera y perturba la relación con las otras criaturas; la aversión es una reacción de rechazo ante todo lo que nos crea cierta contrariedad o displacer.

La ecuanimidad es su gran antídoto y nos permite ser más porosos y permeables, para que no nos resintamos tan extremadamente por adversidades, contrariedades o situaciones que no son como desearíamos, y a las que se reacciona infantil y neuróticamente de manera anómala.

La mujer ecuánime

Era una gran mujer; gozaba de contento interior. Tenía un hijo, pero un día éste murió.

—¡Pobre mujer! —comentaron todos los vecinos de la aldea—. ¡Ella que siempre estaba contenta!

Días después vieron a la mujer. Estaba serena e incluso sonriente. ¿Cómo es posible?, le preguntaron. La mujer dijo:

—Vida y muerte llegan por sí mismas, ¿no es así? Las dos se complementan. Yo había abierto mi corazón a la sabiduría antes de que mi hijo llegase y sigue abierto a la sabiduría tras su partida. También yo vine; y también me iré. Lo que para nosotros los mortales parece un tiempo largo o corto, no tiene la misma medida desde otra perspectiva. Un año o cien años son un parpadeo en el ojo del Divino.

Comentario

La conquista de la sabiduría abre una perspectiva insospechada y de gran nitidez y cordura. No es nunca resignación, sino aceptación consciente y constructiva de lo que es inevitable. Por un lado están las ideas y suposiciones, los anhelos e ilusiones, pero por otro la vida —y la muerte— sigue su curso. A menudo se crea una gran contradicción, incluso un feroz conflicto, entre las ideas y deseos y el curso de la vida. Entonces el desgarramiento es mucho mayor y la ofuscación no se disipa de la mente. Aceptar conscientemente la realidad de lo condicionado y compuesto, que por tanto tiende a descomponerse, es sumamente duro, pero un signo de excepcional madurez. Se requiere una gran preparación anímica y mucha, muchísima intrepidez psicológica. Mas no aceptar la inestabilidad, la inseguridad y la transitoriedad sólo nos conduce a una creciente insatisfacción, dolorosa e insuperable desesperación, mortificación anímica y desconsuelo incomparable. Claro que no es nada fácil contemplar el curso inestable de todo lo constituido, es decir, de la existencia, y menos fácil es no querer agarrarse a lo que aparece y desaparece cuando es grato, o dejar de odiarlo cuando es ingrato.

La sabiduría es un tipo de percepción que ve lo que realmente es, sin dejarse distorsionar por las ideas, conceptos u opiniones de la mente, ni por engaños o expectativas que falsean dicha percepción y frenan la evolución interior. No es nada fácil desarrollar una percepción menos distorsionada y por tanto más portadora de conocimiento real. Es necesario ejercitarse para ir aprendiendo a percibir y a vivir sin memorias condicionantes y sin expectativas descontroladas. Cuando la mente no está ordenada y clara, se mueve en el escenario de las ilusiones falaces, las expectativas que ansían, los engaños y autoengaños, las percepciones falseadas, los moldes psíquicos y, en suma, la confusión y la insatisfacción. Entonces toma lo que es por lo que no es, y lo que no es por lo que es, y crea más confusión sobre la confusión y más sufrimiento sobre el sufrimiento, convirtiendo la vida en una carga demasiado pesada.

El sentido

—Maestro —preguntó un discípulo, angustiado—, ¿tiene la vida algún sentido?

—El que tú quieras darle.

—Pero yo no le doy ningún sentido.

—Ya se lo estás dando.

Comentario

Todo o el vacío, esto o aquello, sentido o falta de él, todas son categorías mentales que a menudo nos limitan e incluso nos hacen correr el riesgo cierto de fosilizar la vida. No todo es clasificable ni puede someterse a las leyes de lo conceptual. Con las leyes del intelecto no se logrará conectar con las leyes cósmicas. Muy a menudo nuestro afán por designar, rotular, etiquetar y conceptualizar mutila la frescura de la vida e impide experimentar la belleza de muchos acontecimientos o fenómenos. Los conceptos, ideas y opiniones pueden contraernos y disecarnos, robarnos espontaneidad y frustrar el curso de la sabiduría instintiva e intuitiva, el poder del inconsciente, al fluir a través de nuestro cuerpo-mente. Se quiere dar a todo un nombre, conceptualizar, como si ello diera una cohesión, un soporte, un sentido, y a menudo reporta una falsa seguridad que al final se torna un muro que nos distancia de la vida en su fluir natural. La palabra no es la cosa; la denominación o designación no es el hecho; la etiqueta no es lo etiquetado. La mente termina por ser tan condicionada por las palabras que no logra ir más allá de ellas e impide el proceso de expansión de la consciencia.

Tenga o no un sentido último, la vida discurre a cada momento y da igual cómo la llamemos, porque ella es ella, más allá de las elucubraciones, racionalizaciones o abstracciones. Lo importante es liberar sus mejores energías para el crecimiento, la armonía y el sosiego, aun en el remolino de las succionadoras fuerzas de la actividad cotidiana y el desorden originado, como una marea de intensa resaca, por las desordenadas mentes mundanas. Si se vive, la vida misma revelará su sentido, su significado, su propósito; pero vivir no es dejarse vivir ciega y mecánicamente, en ausencia de uno, porque para ello ¡cuánto mejor hubiera sido retener la consciencia vegetativa! Si la vida es un absurdo o no lo es, un desbarajuste, un desatino, un despropósito o un sueño, eso no es lo relevante. Como se vive, la danza de la vida puede convertirse en un instrumento para hallar el sentido no fuera, sino dentro, y siempre, necesariamente, se tiene que pasar por la bondad de corazón. No importa si la vida tiene o no un sentido, aunque su sentido sea el sinsentido. Mientras se efectúa la danza de la vida, con sus innumerables rostros, hermosos o feos, el mayor de los sentidos está en morir siendo mejor persona de lo que se era antes, y tratar de tender la mano hacia los otros «náufragos» en el agitado océano de la existencia fenoménica.

El símil del paño. El símil de los odres

Y el Maestro dijo:

—Nadie echa una pieza de paño sin estrenar a un manto viejo, porque el remiendo tira del manto y deja un roto peor. Tampoco se echa vino nuevo en odres viejos, porque entonces revientan los odres; el vino se derrama y los odres se echan a perder; no, el vino nuevo se echa en odres nuevos, y así se conservan las dos cosas.

Comentario

No se puede cambiar y ser el mismo. Es un contrasentido. No sirve de nada el denominado «arrepentimiento» si no es un cambio real de actitud y de proceder. Hay quienes pasan su vida pronunciando la palabra «luz» y no encienden la candela; o los que siempre están hablando de libertad y no ponen los medios para ser libres. No es posible obtener una nueva psicología con retales de la anterior: no funciona. No se puede engendrar una visión y una intención correctas basadas en esquemas, modelos y patrones, como no es posible seguir la senda del autoconocimiento a través de autoengaños, componendas y composturas. Si uno quiere realmente cambiar para mejorar y darle un sentido más pleno y hermoso a su existencia, todos los días hay que modificar algo en uno mismo, pues como reza la antigua instrucción: «Si hoy no modificas algo en ti, nada te puede hacer pensar que mañana serás diferente». En la marcha hacia la realidad hay que hacer un trabajo serio sobre uno mismo, en el cual la purificación de las emociones y su renovación es de máxima importancia, así como la reorganización de la psique en una dimensión diferente. Ello presupone abandonar la anterior dimensión, igual que hay que ir dejando un escalón para poder tomar el siguiente.

La antigua psicología, empero, tiene mucha fuerza, trata de imponerse y seguir condicionando a la persona con sus esquemas y modelos, la enreda en subterfugios y justificaciones de todo tipo y se empeña en crear resistencias insalvables en la búsqueda interior. Por esta razón no basta con la firme resolución de cambiar, por importante que ésta sea como punto de partida, sino que se requieren métodos que sirvan de «choque» o «sacudida» a la psique, para despojarla de su somnolencia y conducirla más allá de sus condicionamientos y hábitos coagulados.

Los borrachos

Dos amigos se encontraron después de mucho tiempo y se sintieron muy alborozados. Así pues, fueron a la taberna a celebrarlo, pero uno de ellos bebió en exceso hasta emborracharse. Para poderle llevar a su casa, el amigo lo introdujo en un saco y se lo cargó a la espalda. Con el borracho a cuestas, comenzó a caminar. De repente se encontraron con dos hombres que venían de frente por el sendero. Uno estaba sobrio y tenía que ayudar al otro, que estaba ebrio. Entonces el borracho del saco acertó a mirar a los hombres que venían de frente, y como vio que uno de ellos estaba borracho, comenzó a increparle:

—¡Borrachín estúpido! Si no eres capaz de saber beber, no bebas. ¡Qué falta de control! Debería darte vergüenza estar borracho como una cuba.

Comentario

En la mente de la persona hay estados mentales de aturdimiento, de ofuscación, malsanos, que hay que ir superando mediante el aprendizaje vital consciente y la búsqueda interior. La capacidad de la mente para ver lo que no es resulta asombrosa. La mente tiene una tendencia recalcitrante a delirios particulares, y con demasiada frecuencia ve lo que no es, además, proyecta sus filtros sobre lo que es, velando la realidad y distorsionándola. Hay que proteger a la mente de las maneras siguientes:

- Ejercitar el poder aséptico y pleno de la observación.
- Frenar la imaginación descontrolada y neurótica.
- Hacerse más consciente, superando así las ideaciones mecánicas.
- Eliminar los velos mentales a través de la meditación y el ejercicio consciente en cualquier actividad diaria; también estar más vigilante a los pensamientos, palabras y actos.
- Entrenarse para desactivar los estados mentales de embotamiento y percepción distorsionada.
- No caer constantemente en el pensamiento nocivo y evitar días tras día las emociones venenosas.
- Cuidar las impresiones mentales, tanto aquellas producidas por otras personas como por lecturas, situaciones, circunstancias o influencias del exterior; procurar a la mente una alimentación sana y equilibrada.
- Desarticular los pensamientos negativos mediante la observación inafectada de los mismos, la erradicación en el momento que aparezcan o el cultivo de los pensamientos opuestos, o sea, los positivos. Como aconseja la antigua instrucción mística: «Elimina un montón de pensamientos negativos con un montón de pensamientos laudables».
- Esforzarse intensamente para que la mente obedezca y no ser siempre su esclavo; tratar de desalojar de la mente los estados mentales perniciosos, y suscitar y desplegar los constructivos.
- Disciplinar la energía mental y no permitirse estados mentales de holgazanería, negligencia y pereza crónica.
- Ejercitar la atención y la concentración, y adiestrarse para ver las cosas como son y no como pensamos que son.

El botín

Un cazador disparó una flecha envenenada contra un elefante y lo mató. Luego le quitó los colmillos y se marchó. Pero poco después tras haber saqueado un pueblo aparecieron quinientos bandoleros por el lugar. Tenían mucha hambre y al ver al elefante muerto, el jefe dijo:

—Nos vamos a dar un buen banquete. Doscientos cincuenta de vosotros iréis a por agua y los otros doscientos cincuenta os dedicaréis a asar al animal.

Una vez hubieron partido doscientos cincuenta bandoleros, los otros hablaron entre sí y, ciegos por la avaricia, se dijeron: «¿Por qué vamos a compartir la carne de este elefante y por qué tenemos que repartir las riquezas robadas? Lo mejor es que nos quedemos todo el botín nosotros y no lo repartamos con los que han ido por agua». Y convinieron en comerse toda la carne que les apeteciera y envenenar el resto para matar a sus compañeros y quedarse con su parte del botín.

Se dieron un desmesurado atracón y envenenaron el resto de la carne; pero lo que los perversos bandoleros no se imaginaban es que los que habían ido a buscar el agua habían decidido, también en su implacable codicia, quedarse con la parte del botín de sus compañeros envenenando el agua que les darían a beber. Regresaron los que habían ido a buscar agua y, muy hambrientos, comenzaron a comer la carne asada, en tanto que los otros bandidos, sedientos después de haber comido tanto, se pusieron a beber agua vorazmente. El resultado fue que los quinientos bandoleros hallaron la muerte.

Horas después, pasó por allí un chacal. Imaginad su alegría al ver tantos cadáveres. Entusiasmado, se dijo: «¡Qué bárbaro! Tengo comida para mucho tiempo, pero hay que irla tomando prudentemente. Voy a hacer un cálculo para ver cuántas porciones puedo sacar de aquí».

Para medir los cadáveres y calcular las porciones, se sirvió de la cuerda de su arco, que iba utilizando como un metro. Pero la mala fortuna quiso que la cuerda del arco se soltara y le golpeara en el paladar con tal fuerza que le provocó la muerte. Ya en los estertores de la agonía, pudo susurrar: «Está bien acumular lo imprescindible, pero no en demasía. Estúpido chacal, que entre tanta comida, hallo la muerte».

Comentario

Forma parte de la visión oscurecida y la atención descarriada poner un excesivo énfasis en acumular y consumir así muchas de nuestras energías, si bien parte de ellas las podríamos invertir en el equilibrio, la armonía y la búsqueda del sosiego interior. ¡Hasta qué punto la codicia puede desencadenar malevolencia y crueldad! ¡Hasta qué grado sembrar discordia, enfrentar a unos con otros y producir todo tipo de enemistad, hostilidad y odio! Éste es el lado más siniestro y voraz de la mente. Y esa mente es la que hay que modificar, transformar sus modelos y conseguir que la misma mente que genera odio, engendre amistad; que la misma mente que produce codicia, origine generosidad. Todas las técnicas serias de realización de sí proponen actitudes, prácticas y métodos para ir transformando la mente enemiga en

221

mente amiga, la mente insana en mente saludable. Hay muchas tendencias enfermas y destructivas en la mente humana y por eso, desde la más remota Antigüedad se han concebido y ensayado métodos para el saneamiento, transformación y reequilibrio de la mente humana.

El yoga Vasishtha dice algo muy significativo: «Por muchos objetos que consiga, la mente no puede alcanzar plena satisfacción, porque un colador no se puede llenar con agua. Revolotea sin cesar en todas las direcciones y no consigue encontrar la felicidad». La mente es tan insatisfecha y se siente tan carente de sosiego que, por un gravísimo error de óptica, cree que mediante la energía destructiva de la codicia va a poder conseguir todo lo que la satisfará y hará dichosa, pero incurre así en su propia trampa y cada vez se enjaula más y más. Porque no es por esa vía, ni mucho menos, como la mente puede hallar consuelo y calma, ni puede ser más libre, sino al contrario estar más y más atada. Esa voracidad de la mente no se sacia consiguiendo y acumulando más y más, sino desarticulando los modelos que inducen a ella, esclareciendo el entendimiento y propiciando actitudes contrarias a las del egoísmo y la rapacidad.

La controversia

Un preceptor tenía un gran sentido del humor y sabía que la vida espiritual no tiene por qué ser en absoluto triste y solemne. Era muy accesible, cordial y sin artificios. Enseñaba en el monasterio a los monjes y novicios haciendo juegos, riendo y bailando, realizando bromas y contando chistes. Pero un día un grupo de fieles pasó por allí y vio cómo se divertían los monjes y novicios, y cuánto griterío y risas provocaban. Acudieron al abad del monasterio y se quejaron: consideraban que aquél no era un modo de enseñar y que el preceptor era irreverente. El abad le llamó, le puso al corriente de las opiniones y quejas de los fieles y le dijo:

—Cambiaré de método, pero será lo mismo.

Era un hombre muy inteligente. Sorprendido, el abad le preguntó:

—¿Cómo que será lo mismo?

—Venerable abad, ya lo veréis: será lo mismo.

El abad no comprendió. El preceptor cambió el sistema de enseñanza y todos tenían que guardar estricto silencio, permanecer estoicamente en postura de meditación a lo largo de la clase, jamás sonreír, y no hacer nunca el menor comentario. Los fieles pasaron por allí y se asomaron a ver la clase. Aquello les parecía increíble: ¡cuánta rigidez, cuánta severidad! Se preguntaron si era necesaria tan rigurosa disciplina y se quejaron al abad. Éste llamó al preceptor y le dijo:

—Tenías toda la razón, querido mío, y como tú decías, «será lo mismo». No te dejes influenciar y enseña como quieras.

El preceptor, obviamente, volvió a su anterior modo de enseñar.

Comentario

Lo que a unos gusta a otros disgusta; con lo que unos están de acuerdo, otros están en desacuerdo; aquello mismo que a unos encanta a otros desencanta e incluso lo que una vez encanta otras desencanta. Unos nos aprueban y otros nos desaprueban, y a menudo muchos nos desaprueban por sistema y por sistema nos desacreditan. Lo mismo sucede con el halago y el insulto. Todos alguna vez han sido elogiados e insultados, y el mismo que alaba vitupera, y viceversa. Muchas personas siempre hallarán ocasión y pretexto para censurar, criticar, difamar o calumniar; tienen una serpiente venenosa en la lengua. El sabio se comporta incólume; no se deja arrebatar por críticas favorables ni desfavorables y trata de hacer lo mejor que puede en todo momento y circunstancia, desoye los «aullidos» de los malevolentes. Evita identificarse con los halagos y con los insultos; permanece sordo a los mismos. Sin embargo, siempre está abierto a aquella persona noble y amigable que le hace ver sus fallos o defectos, pues como dice el Dhammapada: «Si uno encuentra un hombre sabio, quien como un descubridor de tesoros te enseña tus defectos y te llama la atención sobre los mismos, debe asociarse con tal persona. Uno irá bien y no mal en compañía de esta persona. Dejadle que os aconseje y exhorte, y os disuada del error. Esta persona es valiosa para los nobles, pero desagradable para los mezquinos». En cambio hay que ser indiferentes a las críticas de los que tienen la lengua demasiado ágil y hallan un mórbido placer en sembrar discordia.

El Kularnava Tantra da un consejo muy útil: «El que permanece ecuánime tanto en la censura como en la alabanza, en el frío como en el calor, entre amigos o enemigos, es el maestro del yoga, y carece tanto de exaltación como de depresión. El yogui, conocedor de la realidad suprema, reside en el cuerpo como un viajero, sin deseos, siempre contento, con visión de igualdad, dueño de sus sentidos». En lo posible, no debemos dejarnos influenciar ni condicionar por opiniones ajenas, sino seguir con nuestra labor bien hecha y nuestra mente libre de codicia, odio y rencor. Eso es lo más saludable, y no reaccionar negativamente a las tendencias de los aviesos, porque entonces entramos en su órbita y nosotros mismos nos dañamos con pensamientos negativos. Como hermosamente dice el Samyutta Nikaya: «Sí, lo hueco resuena y lo pleno es apacible; el necio es una olla a medio llenar y el sabio es un lago».

La parábola de la balsa

Buda se expresó así:

«Un hombre emprende un viaje y llega a una vasta extensión de agua. La orilla cercana es peligrosa, la del otro lado segura. Pero no hay barcas que lleven a la ribera más distante, ni hay ningún puente. Piensa: "Es ancho ciertamente este brazo de agua; la orilla de este lado es insegura, pero la más lejana no tiene peligro. Lo mejor que puedo hacer es reunir hierba, hojas, ramas y maderos para construir una balsa, y con ella y ayudándome de las manos y pies, cruzar a la otra orilla".

»Entonces, ese hombre, una vez construida una balsa, se transporta felizmente a la orilla lejana, esforzándose con pies y manos. Ya al otro lado, piensa: "Esta balsa ha sido muy útil, pues con su ayuda he cruzado sano y salvo hasta la otra orilla: la llevaré conmigo donde vaya, sobre mi cabeza o mi espalda".

»¿Qué creéis? Si hace eso, ¿actúa correctamente con relación a la balsa? Suponed que el hombre que ha cruzado a la orilla más apartada pensara: "Esta balsa ha sido muy útil, pues con su ayuda he cruzado felizmente a la otra orilla; voy a vararla o a dejarla flotar sobre esta vasta extensión de agua para que vaya a donde quiera ir". Si actúa así se comportará correctamente con la balsa.

Comentario

¡Cuántas personas sólo dedican su vida a subir y bajar por la misma orilla (la de la ofuscación y el egoísmo), sin decidirse a cruzar a la opuesta (la de la lucidez y la compasión). Pero hay personas que sienten la necesidad de buscarse, mejorarse, darle un sentido más pleno a sus vidas y emprender la realización de sí mismas. No quieren que la vida sea un feo simulacro del verdadero vivir, y por ello ponen medios y actitudes para poder convertir la existencia en un arte de vida y en un anhelo de real mejoramiento interior. Para poder liberar la mente de estados confusos y perniciosos y desencadenar en la misma estados de claridad y perspicacia, se requiere un método, pues no basta sólo con desearlo, aunque la determinación firme es un primer paso necesario. El método y las enseñanzas son los mapas espirituales, las brújulas y, sobre todo, el vehículo para poder desplazarse del descontento interior a la dicha interna, de la angustiosa insatisfacción a la compleción de uno mismo.

Se requiere una balsa para cruzar de la orilla de la semiconsciencia a la de la consciencia iluminada, y esa balsa es el cuerpo de enseñanzas y técnicas liberatorias que han ido propagando, en todas las épocas y latitudes, los maestros de la mente realizada, cuyo denominador común es el mismo, aunque para expandir la enseñanza hayan utilizado palabras diferentes y adaptadas a la tradición o el medio en el que las mostraron. Hay muchas vías, pero en última instancia uno mismo es su vía, y la balsa es sólo un medio para pasar de la tierra de la incertidumbre a la de la paz profunda. Las enseñanzas espirituales (no me refiero a las fosilizadas «enseñanzas» de las organizaciones o instituciones) nos ayudan a trabajar en todos los terrenos de nuestro ser, a ir recuperando nuestra esencia y no dejarnos arrastrar tanto por la hojarasca de los pensamientos, los condicionamientos inconscientes y las influencias nocivas del exterior. Hay que ir aprendiendo a gobernar el pensamiento, dominar las emociones nocivas y superar las tendencias y hábitos destructivos que nos enquistan en nuestra atmósfera enrarecida de miedos, paranoias, fricciones y aflicciones.

Como disponemos de unos instrumentos vitales, el trabajo alcanza a todos ellos, sin olvidar la propia corporeidad y el caudal de energías o fuerza vital, al que se le concede notable importancia, puesto que es el ánimo y el ánima.

El símil del candil

No se puede ocultar una ciudad situada en lo alto de un monte, ni se enciende un candil para meterlo debajo del perol, sino para ponerlo en el candelero y que alumbre a todos los de la casa.

Comentario

La evolución de la consciencia es posible. Si una persona experimenta esa inquietud y se determina a poner los medios para desarrollar su consciencia, paulatinamente irá acopiando consciencia y aquellos frutos que ésta reporta: intensidad, atención vigilante, percepción clara, mayor capacidad para centrarse en el aquí y ahora, autovigilancia, energía y vitalidad, entendimiento más purificado y menos supeditado a prejuicios y modelos, sabiduría y compasión. En la senda gradual de la evolución de la consciencia, que ya en sí misma se convierte en un sentido y propósito para la existencia humana, pueden también presentarse destellos de consciencia expandida o estados cumbre de consciencia que, aunque sean de duración muy fugaz, procuran en esos momentos un modo de percibir, ser y sentir muy distinto al habitual y dejan una «fragancia» anímica inolvidable. Porque en esas incursiones en el infinito la persona obtiene comprensiones muy profundas y reveladoras, y percibe «aquello» que está mucho más allá de los conceptos y la consciencia ordinaria.

A través del ojo de buey de la consciencia, la persona hace una visita a lo que los antiguos sabios indios llamaban Nirmanakala, la Mansión del Vacío, que es también el todo, y que se acompaña con una experiencia de gran plenitud y un profundo sentimiento de unidad. Todas las técnicas de autorrealización, en última instancia, no sólo tratan de desenvolver en alto grado la consciencia, sino de sobrepasarla, puesto que la consciencia, por muy acrecentada que esté, todavía es condicionada. Toda la metodología del yoga clásico, por ejemplo, pretende conducir la consciencia a sus límites para además de ello «deflagrarla» y que eclosione un nuevo tipo de consciencia incondicionada, que se ha venido en denominar, a falta de otros términos, «supraconsciencia» o «mente supramundana», cuyas percepciones y experiencias nada tienen que ver con las de la consciencia condicionada o la mente ordinaria. Cuando la persona va «encendiendo» su consciencia, la luz de la misma ilumina la mente, la vida y el comportamiento, y también arroja luz alrededor.

En las parábolas y símiles de Jesús de Nazaret hay muchas claves y pautas de orientación para poder despertar la consciencia y ascender a un estadio más elevado de visión y comprensión. En la medida en que uno eleva su consciencia, coopera en elevar la de los otros, y si se va trabajando para volverse más consciente y compasivo, esa energía de claridad y generosidad también «empatizará» con las otras personas y cooperará en su evolución.

El poder de la confianza

Era necesario defender a sus gentes, amenazadas por la sinrazón de los adversarios, así que el general, aunque sus tropas eran diez veces inferiores en número a las del enemigo, decidió que atacarían al amanecer. Los soldados estaban seguros de que perderían, debido al número tan inferior de hombres. Al despuntar el día, con sus comandantes en jefe, el general entró en un templo a rezar. Al salir del mismo, dijo:

—Veo que dudáis. Pero ahora que he hecho mis oraciones, voy a lanzar una moneda al aire y que el destino decida. Si sale cara, el destino nos manda ir a la batalla y nos ayudará a vencer; si sale cruz, desistiremos.

El general lanzó la moneda al aire. Cayó y se vio que había salido cara. Con ánimo, las tropas se lanzaron a la batalla y ganaron el combate. El asistente personal del general le dijo:

—Señor, nadie puede cambiar el destino.

El general repuso:

—Desde luego que no, amigo mío.

Y le regaló la moneda que había lanzado al aire y que tenía dos caras.

Comentario

Se puede trabajar para encauzar el destino y, sobre todo, para mejorarse y desarrollarse. Hay una base que podemos llamar destino, lo que nos es dado, o unas condiciones de partida. Pero en ese curso del río de la vida en el que nos hallamos, podemos comenzar a trabajar sobre nosotros mismos y las situaciones externas, para reorientarlas y conseguir actualizar potenciales que están en nuestro ámbito mental y emocional, y que corren el riesgo de permanecer aletargados de por vida pasándonos desapercibidos. En lo posible, uno puede ir convirtiéndose en arquitecto de sí mismo y tratar de encontrar la mejor manera de sustraerse a las influencias nocivas del exterior, de hacerse más consciente, también para mejorar ciertas condiciones externas y poner causas positivas para que sobrevengan efectos positivos. El trabajo sobre sí mismo es una rebeldía contra un destino fatalista e inamovible, que puede conducir a la apatía extrema, la negligencia y el abandono. Un ser humano puede seguir cualquier aprendizaje y, desde luego, el del trabajo sobre sí mismo para armonizarse, mejorarse y no añadir sufrimiento a los contratiempos inevitables de la vida.

En este sentido se requiere habilidad consciente, dominio de sí y sabiduría para en cada momento tratar de proceder lo más correctamente posible y evitar perjudicarse a uno mismo y a los demás, cosa que sucede muy a menudo por tener la mente atolondrada o ceder a pulsiones descontroladas.

El poder de la observación

Un maestro tenía dos discípulos que iniciaron un viaje juntos para ir a visitar a unos parientes y luego regresar junto al maestro. Partieron al despuntar el día y, de repente, se encontraron en el camino con las huellas de un elefante. Uno de los discípulos dijo:

—Ésta es la huella de un elefante hembra que está embarazada; tendrá un elefante hembra. ¡Ah! Este animal es tuerto y, ¡curioso!, una mujer encinta de una niña cabalga sobre sus lomos.

—Pero ¿cómo puedes saber todo eso? —preguntó intrigado y escéptico el compañero.

—Por simple observación y deducción. Como nos enseña Buda, debemos estar observantes y deducir correctamente.

—Pues no te creo —aseveró el compañero.

—En ese caso corramos tras ellos y comprobémoslo.

Los dos jóvenes empezaron a correr y pudieron alcanzar al elefante, que llevaba sobre sus lomos a una mujer. Comprobaron que todos los datos a los que había hecho referencia el discípulo observador eran correctos. Cuando de regreso los jóvenes se reunieron con el maestro y le contaron lo sucedido, éste preguntó al discípulo observador cómo había llegado a las certeras deducciones. Y dijo:

—No he hecho otra cosa, maestro, que practicar lo que tú me has enseñado. He observado muy atentamente y he aplicado el entendimiento correcto. Al observar el lugar donde el elefante había orinado, supe que se trataba de una hembra. Contemplando las hierbas de la parte derecha del camino y comprobando que habían sido aplastadas, deduje que el animal estaba tuerto del ojo derecho. Después me di cuenta de que el elefante se había detenido y de que había orina en el camino de otra persona y deduje que era de una mujer que montaba el elefante, la cual había bajado del mismo para hacer sus necesidades. Comprobé que el pie derecho de la mujer había pisado con mayor fuerza y eso me permitió deducir que estaba encinta de una niña. O sea, venerable maestro, he aplicado el arte de la observación en el que tú tanto nos insistes.

Comentario

La observación atenta, desprejuiciada, intensa y vital es siempre aprendizaje, y nos ayuda tanto en nuestro caminar por la vida cotidiana como en la búsqueda de uno mismo. Grandes descubrimientos han surgido de la observación atenta pero libre de condicionamientos. Una observación tal renueva las energías, supera los esquemas de la mente, aviva el entendimiento, coopera en el continuo aprendizaje vital, previene contra la fosilización de la mente, activa las funciones mentales y reporta conocimientos de primera mano. La observación directa, perceptiva, plena, se convierte en un ejercicio de meditación que nos enseña, transforma, esclarece y nos ayuda a saber conectar con lo que es a cada momento, sin dejarnos extraviar en memorias negativas o insanas imaginaciones. La intensa observación nos procura sagacidad, deducción correcta, entendimiento equilibrado y, además, ejercita extraordinaria y muy eficazmente la atención.

La observación se vuelve así una importante práctica para el metódico cultivo de la atención y de la vigilancia.

En busca de la dote

Un campesino, cuando se dirigía a hacer sus labores al campo, al amanecer, se encontró con una rata. La prendió y la encerró en una caja. Cuando abrió la caja, salió de ella la rata, que se convirtió en una bellísima joven. El campesino se dijo: «Si pudiera desposar a esta maravillosa joven con alguien muy poderoso, obtendría una dote fabulosa. Es tan espléndida, que puedo conseguir para ella el marido más poderoso del mundo y, cuanto más lo sea, más dote me dará».

El campesino visitó al jefe de su clan y le dijo:

—Tú eres sin duda el hombre más grande del mundo y tengo una hermosa hija adoptiva que me gustaría que desposases.

El jefe replicó:

—Sí me gustaría desposarme con ella, pero como la quieres casar con lo más grande del mundo debo decirte que el agua es más grande que yo, porque cuando me introduzco en el río la corriente me arrastra.

El hombre se dirigió hasta donde estaba el agua y le dijo:

—Quiero desposar a mi hija adoptiva con lo más grande del mundo y pienso que eres tú.

Pero el agua replicó:

—No, amigo, estás equivocado. No soy la más grande ni la más fuerte, porque cuando sopla el viento hace olas conmigo. El viento es más grande que yo.

El hombre, presto, acudió a visitar al viento:

—Quiero casar a mi hija adoptiva contigo porque eres lo más grande.

Y el viento repuso:

—No estás en lo cierto. La montaña es mucho más grande y fuerte que yo, porque por muy violenta y huracanadamente que yo sople, ella no se estremece ni se mueve un centímetro.

Ya comenzaba a sentirse desalentado, cuando fue a la montaña y le dijo:

—Amiga mía, quiero casar a mi hija adoptiva contigo, porque eres lo más fuerte y grande, y quiero que se despose con lo más poderoso.

La montaña dijo:

—No puedo negar que soy grande y fuerte, pero te diré que hay un animalillo, la rata, que puede horadar y minar mis faldas cuando se lo propone, pues es más poderosa que yo.

El hombre regresó extenuado a su hogar. Cuando contempló a la bella doncella, ésta se convirtió de nuevo en rata. El hombre abrió la puerta de su casa y la puso en libertad.

Comentario

El sufrimiento innecesario de la mente no deviene, empero, de modo gratuito. Hay unas raíces o causas que lo generan y, precisamente por ello, al descubrir estas causas se pueden poner los medios oportunos para disiparlas y, por tanto, eliminar la grave y continua insatisfacción de la mente. Uno mismo tiene que porfiar practicando para liberar la mente de las condiciones que engendran sufrimiento innecesario, y que perjudican a uno mismo y a los demás. El reconocimiento de estas causas o condiciones es esencial, pues sólo así se podrá entender qué se tiene que modificar en la mente. Como no hay nadie que pueda liberarse por uno mismo, ni siquiera darse su propia liberación, todos tienen que empeñarse en ir esclareciendo la mente e ir equilibrando el comportamiento.

Están expeditos los senderos, pero hay que recorrerlos. Mentalmente uno mismo labra su dicha o su desdicha. Una de las causas de mayor dolor en la mente humana, y que incita a la posesión a costa incluso de felicidades ajenas, es la avaricia, que a su vez surge de la ofuscación mental. Si fuéramos capaces de eliminar la ofuscación, como los primeros rayos del sol alumbran el firmamento, estaríamos en condiciones de descubrir las hondas raíces de la codicia y también erradicarlas, y ahorrarnos así, a nosotros mismos y a los demás, muchos e inútiles sufrimientos. Pero no es fácil extirpar esa ignorancia básica de la mente, y de ahí que sea necesario seguir prácticas para tal fin. También uno mismo se gana una mente armónica o inarmónica. Nadie lo puede hacer por nosotros, aunque nos pueden prestar instrucciones, aliento, ánimo y confortamiento. Podemos cultivarnos para madurar y madurar para ser más conscientes, lúcidos y compasivos. Podemos lograr la cesación del sufrimiento mental si eliminamos las condiciones que lo producen. Ésta es una labor muy importante, para uno mismo y para los demás, y que le da un especial sentido a la vida y la convierte en el arte que debería ser.

Las diez monedas de oro

Era un hombre que vivía de la caridad pública. Se trataba de una buena persona y la gente acostumbraba a ayudarle; pero un día, un hombre acaudalado le dio diez monedas de oro.

—Espero que te ayuden —le dijo.

Cuál no sería la sorpresa del hombre acaudalado cuando unos días después el mendigo se acercó a él y le dijo:

—Señor, gracias, pero te devuelvo tus diez monedas de oro.

—Pero ¿qué me dices? ¿Acaso no necesitas este dinero para ser más dichoso?

—Eso pensaba yo, señor, pero ha sido todo lo contrario. Mi mujer, al descubrir la suma de dinero, se ha empeñado en quedarse con la mitad y hemos tenido graves discusiones al respecto. ¡Con lo armónica que siempre ha sido nuestra relación! Le di las cinco monedas, pero cada uno de nuestros tres hijos, implacables, me pidieron una. Entonces vino un vecino y me recordó que diez años atrás me había hecho un favor y que lo menos que podía hacer para devolvérselo era darle una moneda de las que tenía. Se enteraron mis parientes y vinieron a verme, y comenzaron a pelearse por la moneda de oro que me quedaba, así que he decidido recogerlas y devolvértelas. Dáselas a un rico, porque como ellos ya tienen habitualmente estos problemas con la familia y los amigos, no les importará seguir teniéndolos.

Comentario

La avidez es una inclinación desmedida hacia lo que nos place y complace. La codicia es como un afán desmesurado de poseer, acumular, acaparar y retener. El apego es una tendencia de aferramiento y afán de posesión. Esa afición desmesurada de la persona hacia todo aquello que le es agradable y a querer atraparlo y retenerlo, aumentarlo y poseerlo, genera una masa colosal de sufrimiento a los seres humanos, y les ofusca hasta convertirles incluso en duendes voraces e incorregiblemente avarientos. La codicia ofusca el entendimiento y nubla la visión, y la persona demasiado codiciosa no se detiene fácilmente y despliega sus ávidos tentáculos, aun perjudicando irreparablemente a las otras criaturas.

Pero la codicia es una gran productora de sufrimiento, crea miedo y genera hostilidad. Buda declaraba: «Aquellos que están infatuados con la codicia penetran en una corriente que los atrapa como la tela que la araña ha tejido de sí misma. Por esta razón el sabio corta con todo ello y se aleja abandonando toda tribulación». Y también: «La riqueza arruina al necio que no busca la liberación. Por culpa del aferramiento a las riquezas, los hombres ignorantes se arruinan a sí mismos y a los otros». Porque no es lo mismo poseer que ser poseído por lo que se posee; no es igual disponer de bienes y utilizarlos para beneficio propio y de los demás, con generosidad y desprendimiento, que aferrarse a ellos. El ávido se siente inseguro, tiene miedo, es infeliz, no dispone de amigos y hace el peor negocio «rentabilizando» su vida y convirtiéndolo todo en una inversión. Es signo de cordura, desde luego, cubrir las necesidades básicas, pero lo es de enajenación no ir cubriendo después otras motivaciones o necesidades de otro orden, porque ni siquiera todas las riquezas del mundo nos librarán de la enfermedad, la vejez, la muerte y otras muchas vicisitudes que no pueden disiparse con medios económicos y que sólo pueden superarse con una adecuada actitud mental. En el yoga Vashishtha se puede leer: «Aunque el hombre trabaje mucho, supere todos los problemas de este mundo, viva rodeado de lujo y riquezas y alardee de ser feliz, la muerte se aproxima inexorablemente a él». Además, todas las riquezas del mundo no dan un solo instante de paz, sino más bien de compulsión, obsesión, mayor afán de acumular y miedo a perder lo conseguido. Hay otra riqueza que no se valora en esta sociedad, y que es la más íntima, fructífera, privativa y segura, puesto que nadie nos la puede robar; es la calma de la mente, la paz interior, el equilibrio psicosomático, la actitud correcta y el proceder impecable. Aun el más rico puede ser, y a menudo se da el caso, el más miserable, mezquino y ofuscado. Pero si la persona es abierta, generosa y utiliza sus medios como una energía para crear, construir, cooperar y resolver sufrimientos propios y ajenos, entonces esa utilización es beneficiosa y el que así posee no deja de poseerse a sí mismo y sabe que los medios económicos no son uno mismo, ni tampoco uno debe afirmarse o infatuarse por ellos.

El cuenco voraz

Era un rey sumamente arrogante y déspota. En una ocasión hizo una peregrinación a un lugar sagrado y un anacoreta le salió al paso y le colocó su cuenco de pedir limosnas frente a él.

—¡Insolente y miserable asceta! —exclamó el rey—. ¿Cómo osas obstaculizar mi paso?

—Si su majestad es tan rico como se comenta, podrá llenar mi cuenco de monedas, ¿no es así?

—Un castillo de monedas puedo llenar —dijo el rey, y ordenó a sus asistentes que llenaran el cuenco de monedas de oro.

Pero al echar las monedas, el cuenco se las tragaba en el acto. Echaron todas las monedas que tenían y el cuenco seguía vacío.

—¡Traed más monedas! —gritó el rey, indignado.

Trajeron sacos y sacos de monedas y todas se las iba tragando el cuenco. Durante horas y horas el cuenco estuvo devorando las monedas de oro, hasta que el rey, fuera de sí, gritó:

—¡Basta, miserable! Estás arruinándome. ¿Qué clase de cuenco es éste?

—Este cuenco, señor —explicó el anacoreta—, está hecho con los deseos de los humanos. Como veis, no tienen límite.

Comentario

El deseo es una inclinación hacia todo aquello que nos procura una sensación de agrado, placer, encanto o gratificación, de la misma manera que la aversión es un rechazo de toda sensación desagradable o no placentera. Vivimos demasiado atentos y obsesionados por lo que nos agrada y desagrada, y de ese modo nuestros estados anímicos son muy fluctuantes, nuestras emociones muy inestables y nuestra visión mental muy estrecha. Sufrimos mucho más por no querer sufrir; disfrutamos mucho menos por el ansia de disfrutar. El deseo puede ser de muchas clases: natural, inofensivo, perjudicial para nosotros o para las otras criaturas, y ficticio o artificial (y que no es nuestro deseo aunque creamos que nace realmente de nosotros). Cada persona debe aprender a manejarse con sus deseos y saber cuándo procede satisfacerlos —sin apego o aferramiento—, transformarlos, ennoblecerlos, inhibirlos y suprimirlos conscientemente.

Cuando se comienza a crear excesiva afición y dependencia a lo que place, surge el apego y el aferramiento, la «sed» de lo agradable, y entonces ese apego nubla la consciencia y dispara los mecanismos de posesión y de demanda neurótica de tener seguridad sobre aquello que nos place; también entonces surge miedo a perder la fuente del placer y la necesidad de trabajar para conservarla, por lo que entonces el propio disfrute es la antesala del dolor. Hay que saber manejar los deseos para poder «comerse el cebo sin tragarse el anzuelo», y poder cabalgar habilidosa y conscientemente sobre ese tigre poderoso que es el deseo. Si nos descabalga, nos engulle; si se sabe cabalgar sobre él y se instrumentaliza, su energía puede ser muy bien aprovechada. Se puede disfrutar con gran intensidad, pero sin el apego que produce el ego con su afán aferrante y posesivo; hay que renunciar a esa tendencia tan enraizada y retroalimentada por los pensamientos de avidez.

El deseo por el deseo nunca tiene fin, pues es como una hoguera a la que seguimos arrojando más y más leña. En la senda del arte del noble vivir debemos aprender a desmontar y desactivar aquellos deseos que perjudican o hieren a los demás. La felicidad conseguida dañando a las otras criaturas no debería ser jamás felicidad. Pero las personas egoístas no reparan en nada para satisfacer sus deseos y llegan por ellos a denigrar, explotar, mentir, embaucar y estafar. Pero el deseo aferrante nunca conduce a la dicha, es como el símil de aquel que tiene sed y bebe agua salada: su sed se incrementa. Uno no debería permitirse la satisfacción sistemática de deseos que le son nocivos, pero desde luego menos todavía los que son perjudiciales para los demás. El apego crea miedo, ansiedad, sufrimiento, desconfianza, odio y ofuscación sin límites. El excesivamente ávido es capaz de cualquier cosa para satisfacer su avidez. El desapegado es mucho más libre, seguro, confiado, firme y dueño de sí mismo. No se trata nunca de reprimir mórbidamente los deseos, sino de conocerlos y saber cuándo es oportuno satisfacerlos y cuándo nocivo. También hay que estimular los anhelos de libertad interior, la integración psíquica, las buenas relaciones con uno mismo y con los demás, y la generosidad. El deseo puede ser un grillete implacable, y da igual si este grillete es de plomo o de oro: encadena del mismo modo.

El amigo sosegado y el amigo estresado

Uno de los amigos trabajaba constantemente y desarrollaba muchísimas actividades; el otro trabajaba justo lo necesario, ni un minuto más, y siempre que podía evitaba hacerlo. El amigo activo le dijo un día al otro:

—Así no puedes seguir. Trabajas muy poco.

—¿Y tú para qué trabajas tanto?

—Para ahorrar mucho y un día poder estar tranquilo, descansar, tomarme mi tiempo para pasear, hacer excursiones, charlar con los amigos...

—Pero si todo eso ya lo tengo.

Comentario

Nos afanamos, nos estresamos, nos ajetreamos y nos complicamos excesivamente la existencia, que es más fugaz y breve de lo que se supone, y la ocupamos, con demasiada frecuencia, con inútiles actividades de las que bien podríamos prescindir para poder estar más a gusto y en armonía con nosotros mismos y los seres queridos, con la naturaleza y el arte, con las aficiones y alicientes, para recobrar paz y equilibrio, sin necesidad de estar siempre descentrándonos y alejándonos de nosotros mismos y finalmente... de la vida.

La mente neurotizada requiere mucha actividad. Enreda sin cesar. Ansía un placer que no puede experimentar de veras, porque en la propia mente no hay quietud y disfrute, y por ello no está capacitada para colmarse con ningún placer. Necesita seguir y seguir buscándolo. La misma mente se va anudando a sí misma en lugar de irse librando de sus nudos. Toma toda clase de direcciones, pero ninguna le satisface, y sigue tomando más y más caminos, ejecutando más y más actividades, engañándose a sí misma con la idea de que así un día podrá reposar y disfrutar. Ese día para muchas mentes nunca llega, y todas sus actividades no pueden calmar nunca su «sed».

La persona que entiende los enrarecidos y compulsivos mecanismos de la mente le impone una dirección y sabe sujetarla, no cede a todas sus tendencias descontroladas. Valora no sólo la acción, sino también la inacción; no sólo la actividad, sino también la pasividad, y así sabe equilibrarse y puede disfrutar tanto del hacer como del no hacer, del ir como del estar, del actuar como del ser. La vida deja de ser el escenario para una patética y desenfrenada carrera hacia ninguna parte. El que trabaja para el perfeccionamiento y desarrollo va desenraizando las emociones contradictorias y los estados mentales de angustia, y así, más sosegado y a gusto consigo mismo, sabe equilibrar la acción con la inacción y disfrutar de ambas. La acción entonces no es un escape; la actividad no es una vía de evasión. Se valora la acción justa o diestra, pero más aún el arte de ser, vivir y encontrarse en armonía con uno mismo y con los demás.

La larga marcha hacia la autorrealización

Naropa fue uno de los más grandes maestros de su época. Pero su búsqueda fue ardua y muy larga. Tuvo que empezar por buscar implacablemente a su maestro Tilopa. La leyenda es hermosa y significativa, y a menudo las leyendas van más allá de ellas.

Sorteando rocas y cruzando un caudaloso río, a través de un cañón, Naropa se encontró con una leprosa a la que le faltaban los pies y las manos. La mujer le dijo: «Si quieres seguir tu camino, tendrás que saltar por encima de mí». Naropa pasó por encima de la mujer, que ascendió hasta el cielo y se fundió con el arco iris, mientras cantaba: «Lo incondicionado, donde todo se iguala, está libre del hábito de los pensamientos. ¿Cómo podrás hallar a un maestro si aún te encuentras atrapado en ellos?».

Siguió viajando y en un senderillo se encontró con una zorra maloliente. Se tapó la nariz, dio un salto y pasó por encima de la zorra para seguir su camino. La zorra se fundió con el arco iris, mientras cantaba: «Todas las criaturas son nuestros parientes. ¿Cómo podrás hallar tu maestro si no tienes compasión?».

Siguió su marcha en busca del maestro y se topó con un hombre que sacaba los intestinos del vientre de un muerto y los cortaba. Pidió ayuda a Naropa para que le ayudara a cortar intestinos, pero Naropa saltó por encima de él y siguió su marcha. Mientras se disolvía en el arco iris, el hombre cantó: «Si no cortas los grilletes del universo fenoménico, ¿cómo vas a poder hallar a tu maestro?».

En su implacable búsqueda, Naropa se encontró con un ermitaño y, pensando que tal vez fuera Tilopa, le rogó que le impartiera enseñanzas, pero el anciano asceta sólo le mostró las manos llenas de pulgas y dijo: «Mátalas y te diré dónde hallar a tu maestro». Mas Naropa no pudo matar las pulgas y el hombre se esfumó a la par que decía: «No lograrás hallar al maestro si no eres capaz de matar las pulgas que son tus pensamientos y deseos».

Era la suya una búsqueda larga. Sacó fuerzas de flaqueza para proseguir. Llegó a un descampado y vio un espectáculo insólito donde los haya. Contempló muchas personas tuertas, un ciego que veía, un sordo que oía, un hombre sin lengua que no dejaba de hablar, una mujer sin piernas que corría velozmente y un cadáver que estaba abanicándose. Eso vio, y les preguntó si conocían a Tilopa. Escuchó que entre otras cosas le decían: «La ceguera es ver sin ver nada, como la sordera es oír sin escuchar nada, igual que la mudez es hablar sin decir nada, o la cojera es moverse sin avanzar, de la misma forma que la inmovilidad de la muerte produce una brisa —como el abanico— de lo que es el no-origen».

El desaliento ganó a Naropa. Abatido, decidió poner fin a su vida cortándose las venas con una rudimentaria navaja. Pero entonces apareció Tilopa. Naropa comenzó a llorar emocionadamente, y Tilopa le dijo:

—Querido mío, mi muy querido, desde que me hallaste con la forma de una mujer leprosa, nunca más nos hemos separado. Yo he sido el protagonista de tus visiones. ¿Por qué no me has reconocido? Simplemente, mi muy querido, porque tus deméritos empañaban tu visión. Pero ahora puedo comenzar a impartirte la enseñanza.

Comentario

La enseñanza, con sus numerosas pautas de orientación, métodos y técnicas de autodesarrollo, siempre está, desde tiempos inmemoriales, aunque a veces no sepamos verla o encontrarla a
nuestro alcance. En el viaje de la vida podemos ir recorriendo
también la senda gradual hacia la liberación de la mente. Habrá
momentos muy difíciles, pero si uno es constante y persistente
en su motivación, siempre se irán presentando situaciones que
nos permitirán seguir conectando con la enseñanza, y que ella
siga mostrándonos la manera de resolver esas situaciones vitales
y seguir caminando hacia afuera y hacia adentro, haciendo del
viaje exterior un viaje interior.

El cazador

Se considera que en una de sus anteriores existencias Buda fue un príncipe jefe de una bandada compuesta por medio millar de gacelas. Y era ése el tiempo en el que un implacable y despiadado cazador recurría a toda clase de trampas para poder atrapar a las gacelas. El príncipe quería mucho a las gacelas y éstas le querían mucho a él. La gacela-príncipe disfrutaba de una vida apacible y bucólica, paseaba plácidamente, en reconfortante libertad. Pero cierto día cayó en la red del cazador. Al ver que su príncipe era atrapado, todas las gacelas huyeron, excepto una hembra. Ésta animó al príncipe-gacela a que luchara desesperadamente por escapar de la red, pero sus intentos resultaban vanos.

—No puedo salir de aquí, no puedo —dijo el príncipe-gacela, sin dejar de intentarlo por todos los medios.

En eso llegó el cazador. Llevaba un arco en la mano y se disponía a colocar la flecha para disparar contra la gacela-príncipe. La gacela hembra insistió:

—Esfuérzate, ¡oh, príncipe!, esfuérzate por liberarte. No cejes en tu empeño. Inténtalo, inténtalo.

—No puedo romper la red por mucho que lo intento. Cuanto más lo intento, más me extenúo; estoy desfallecido.

Entonces la gacela hembra, en el colmo de la angustia, se puso frente al cazador y le dijo:

—Coge tu cuchillo y mátame. No dudes en matarme, pero no

hagas daño al príncipe-gacela. Te lo suplico. Mátame a mí y li-bérale a él.

—Pero ¿quién eres tú? —preguntó el cazador.

—Soy su esposa. Mátame, pero libera a mi marido, por favor.

Todavía hay excepciones incluso entre los cazadores, aunque es raro. Pero este cazador sintió que la compasión nacía en su co-razón. Al ver tanto amor en aquel animal, dejó a las dos gacelas en libertad y les dijo:

—No os daré muerte a ninguno de vosotros. Tenéis el don de amar; así que amaros en paz y en libertad.

Comentario

No todas las personas, desde luego, tienen el precioso don de amar, sobre todo de amar generosa, desinteresada e incondicio-nalmente. Sin embargo, uno de los logros más importantes de la existencia humana es amar, y en la medida en que se desarrolla la comprensión clara, la persona se percata lúcidamente de que es mediante el afecto incondicional como puede darle un mayor sentido a su vida. Se hallará mucha vitalidad, fuerza, ánimo y consuelo queriendo cada vez de forma más incondicional a los demás, empezando por los seres más cercanos y queridos, y abriendo después, paulatinamente, esa energía de afecto a todos los demás. Siempre es reconfortante, aleccionador y afectiva-mente constructivo recordar el Sermón del Amor, que debería ser fuente de inspiración en nuestras vidas:

«Que sean capaces y probos, rectos, de lengua cortés y sin or-gullo. Que estén contentos y tengan fácil apoyo, libres de carga y sus sentidos en calma. Que sean sabios, no arrogantes y sin apego a los bienes de los otros. Que sean incapaces de hacer algo malo o algo que los sabios pudieran reprobar. Que todos sean felices. Que vivan en seguridad y regocijo. Que sean felices todos los seres vivos, tanto débiles como fuertes, altos y robustos, de talla media o pequeña, visibles o invisibles, próximos o distantes, nacidos o por nacer. Que nadie defraude a otro o desprecie a un ser, cualquiera que sea su estado, y no permita que la rabia o el odio nos haga desear el mal a otro. Como una madre vela por su hijo, dispuesta a perder su propia vida para proteger a su único hijo, así, con corazón desprendido, se debe cuidar a todos los seres vivos, inundando el mundo entero con una bondad y un amor que venzan todos los obstáculos. De pie o andando, sentado o echado, durante todas nuestras horas de paseo, debe recordarse conscientemente a este corazón y su forma de vivir, que ésa es la mejor en el mundo. Sin aferramiento a la especulación, a las propias miras y deseos, y con una visión clara, una persona tal nunca volverá a nacer en el ciclo de sufrimientos».

Como decía Tagore: «No dejes tu amor sobre el precipicio».

El hombre honrado

Un ministro tenía necesidad de un asistente verdaderamente honrado, pues necesitaba que le cobrara las contribuciones. El ministro recurrió a un sabio consejero, que convocó a buen número de aspirantes al cargo y les hizo pasar uno a uno hasta su despacho, tras recorrer un estrecho y solitario corredor en la semipenumbra. Cuando todos estuvieron en el despacho, delante del ministro, el asesor exhortó a bailar a todos los aspirantes, pero solamente uno comenzó a hacerlo suelta y alegremente.

—Ése es vuestro hombre, señor ministro. El único honrado entre todos.

El asesor había mandado colocar sacos llenos de monedas de oro en el corredor y todos se habían llenado los bolsillos, excepto el que no tenía inconveniente en danzar, pues los otros sabían que hacerlo les delataría.

Comentario

Hay muchas raíces nocivas en la mente humana. Lo que en los animales han sido los códigos evolutivos e instintivos, en la persona ha tomado características muy intensas que entroncan con el pensamiento neurótico y egoísta. Así la codicia es un signo básicamente humano, y máxime del modo en el que se manifiesta y despliega en la persona, que se cifra como avidez, aferramiento, afán de posesión, voracidad, sentimiento desmesurado de acaparar y avaricia sin límite. Es una de las raíces insanas más profundas y persistentes, que se retroalimenta con pensamientos de ilimitada codicia y que ha sembrado la tierra de todo tipo de desigualdades, explotaciones e injusticias. En algunas personas esta raíz está muy potenciada y marca por completo todas sus tendencias, intenciones, actitudes y conductas. Somos como duendes, siempre hambrientos y voraces, sin reparar en nada, para satisfacer la codicia y rapacidad. Denominar a estas personas «buitres» sería un injustificado insulto para estas aves rapaces. Estas personas no son humanas y mueven poderosos hilos para explotar sistemáticamente a los otros y aprovecharse de ellos.

Aun sin llegar a tales límites, son muchas las personas que no viven, porque economizan y rentabilizan todo el espacio de su vida y de todo tratan de sacar provecho y partido. En la senda de la realización de uno mismo y el arte del noble vivir hay que trabajar mucho para acabar con la codicia. Por culpa de ésta hay personas que trafican con drogas, seres humanos, sustancias tóxicas, alimentos adulterados o armas; personas que dañan sistemáticamente al reino animal y al reino vegetal, para enriquecerse sin ningún reparo ni miramiento. No es fácil desenraizar esta insana raíz, pero hay que irla mitigando y utilizar todos los métodos y actitudes posibles para debilitarla, entre otros:

- Recordatorio de la muerte, el cual se pueda instrumentalizar para no estar tan apegados ni dirigir todas nuestras energías a acaparar, poseer y acumular, pues toda posesión es muy transitoria. Hay pocos textos en este sentido tan inspiradores como el de Ramaprasad Sen: «Considera, alma mía, que no tienes nada que puedas llamar tuyo. Vano es tu errar sobre la tierra. Dos o tres días y luego concluye la vida terrena;

sin embargo, todo los hombres se jactan de ser dueños aquí. La muerte, dueña del tiempo, vendrá y destruirá tales señoríos». Y en la epopeya titulada Ramayana podemos leer: «Rondando sin tregua, noche y día, decaen las vidas de los mortales, al igual que los rayos ardientes del sol estival merman los siempre decrecientes arroyos».

- Percepción de la impermanencia, porque de ese modo, cuando se realiza la impermanencia o transitoriedad intuitiva o supraconsciente, y no sólo como una idea o concepto, uno se da cuenta de la necedad de alimentar tanta y tan desorbitada codicia. Porque todo es mudable, pasajero e incluso insustancial. A través del cultivo metódico de la meditación se llega a la percepción de la transitoriedad de todos los fenómenos, que son inasibles, no pueden atraparse y ruedan sin cesar. Cuando se obtiene un «golpe de luz» de esa transitoriedad que es propia de todo lo constituido, porque todo lo que nace muere, lo que surge decae; entonces la persona modifica con profundidad sus modelos mentales y se sitúa más allá del apego y la aversión, en la energía clara y precisa de la ecuanimidad.

- Entendimiento correcto, que ayuda a ver las cosas como son y no sólo en sus apariencias, y a valorar lo más esencial en tanto dejamos de obsesionarnos por lo fatuo o banal; un entendimiento tal nos inclina a la generosidad, al desprendimiento y la benevolencia.

- Fomento de pensamientos y sentimientos laudables, como generosidad y alegría por los bienes y éxitos ajenos, y otros, pues de ese modo iremos desenraizando el apego, la codicia y el afán de posesión mediante el desarrollo y cultivo de sus opuestos. Pero no es fácil, desde luego, liberar el pensamiento de la avaricia e ir refrenando la tendencia compulsiva que nos induce a acaparar en grado sumo. La persona pone su esencia y seguridad en esas posesiones externas, pero de ese modo se aleja progresivamente de su propio ser y al final descubre que todo aquello que ha aferrado por la desmesurada codicia, no le ayudará en los momentos realmente serios de la vida ni mejorará su calidad de vida anímica. Es necesario tratar de satisfacer y cubrir las necesidades básicas, pero después parte de esa energía debe ser colocada al servicio de otras motivaciones menos materiales o mundanales.

Una de las trabas más poderosas de la mente es la codicia. Puede haber codicia de cosas materiales e inmateriales. La codicia ata a la persona, frustra su desarrollo, malogra las relaciones con los demás, diseca el corazón y frena el desarrollo de los buenos sentimientos. Una persona muy codiciosa no puede ser compasiva, ni generosa, ni mucho menos identificarse con el sufrimiento ajeno. Sólo ve a los demás como instrumentos para su propio enriquecimiento o para satisfacer la voracidad de cualquier orden. La codicia nace de la ofuscación y enraiza en el ego. Incluso crea desórdenes y conflictos entre amigos y familiares; cuánto más entre conocidos y desconocidos. Por codicia, amigos han vendido a sus amigos y amantes han traicionado a sus amantes; hijos y padres se han dejado de hablar y esposos se han tratado cruelmente. La codicia es apego y el apego, si no se va desmantelando y desactivando, no tiene limite; es como una gran oquedad que todo lo absorbe y succiona.

El odre

Un genio muy poderoso se había construido un maravilloso palacio en medio del mar. Un navegante que llevaba muchos años de viaje, al pasar por el lugar, tuvo la deferencia de visitar al genio. Éste, agradecido, le obsequió con un odre atado con un fuerte hilo de plata, dentro del cual había guardado todos los vientos, excepto el del oeste, que era el que necesitaba el navegante para volver a su hogar. Impulsados por el viento del oeste, el barco iba apaciblemente surcando los mares, pero el capitán se durmió y entonces sus hombres, suponiendo que el odre estaba lleno de tesoros, lo desataron y abrieron. Entonces todos los vientos se desataron, se produjo una terrible tempestad y varios de los marineros hallaron la muerte.

Comentario

Una de las grandes fuentes de aflicciones es la codicia desmedida y el afán de posesión en todos los órdenes. Hay que estar muy vigilante para evitar que nuestras más profundas tendencias subyacentes de codicia se desarrollen cada vez en mayor grado y para ello la consciencia no debe dormirse ni descuidarse. Es el apego desmedido el que ha causado tanto sufrimiento a lo largo de la historia de la humanidad y todo tipo de reyertas, desigualdades e injusticias. Está en la naturaleza del ego querer aferrarse, dominar, poseer sin límites, codiciar y acaparar. El pensamiento es muy voraz y sus tendencias de posesión no tienen límite si no se trabaja para desenraizar ese código-condicionamiento que tanto nos perjudica a nosotros y a las criaturas que nos rodean. A menudo la codicia conduce a la malevolencia, pues en su afán de poseer el ser humano se insensibiliza y entierra sus hermosas cualidades de generosidad y benevolencia. No hay senda de autorrealización que no insista en la necesidad de refrenar el ego, superar la codicia y desplegar generosidad, compasión y desprendimiento.

La misma práctica meditativa debe ir mostrando una vía de luz para desenraizar la avidez y poder estimular el sentimiento de afectividad incondicional. La iluminación, como quiera que se le denomine según las distintas tradiciones, es la aniquilación de la ofuscación, la avidez y el odio y, por tanto, la conquista de la claridad, la generosidad y la compasión.

El asceta y el jugador

Era un devoto que tenía la tendencia de criticar a todos aquellos que no llevaban su forma de vida. Los increpaba y amenazaba con una vida tras la muerte llena de sufrimientos. Un día se enteró de que frente a él vivía un jugador, y siempre que le veía salir de su casa colocaba una piedra para señalar cada uno de sus pecados; al hacerlo, sentía cólera contra el empedernido jugador. Así estuvo apilando piedras a lo largo de veinte años. Por su parte el jugador, cada vez que veía al devoto, se decía: «Ojalá yo pudiera ser un bendito como este hombre».

El mismo día murieron el devoto y el jugador. Un ángel tomó el espíritu del jugador y lo condujo a los reinos celestiales. El hombre aclaró:

—No, amigo, no. Seguro que te has confundido y me has tomado por el devoto. Yo soy el jugador.

El ángel repuso:

—Ya lo sé. El devoto está siendo conducido por uno de mis compañeros a las regiones infernales.

—Pero debéis de estar equivocados —dijo el jugador—. Seguro que habéis tomado las instrucciones al revés. No estáis haciendo justicia.

—Claro que la estamos haciendo. A lo largo de veinte años en la mente del devoto ha persistido la recriminación y la cólera, cada vez que te veía, y en la tuya admiración hacia la santidad que suponías en él. Así que él ha acumulado deméritos y tú méritos. Se está haciendo justicia. Estamos recompensando los buenos sentimientos y no la personalidad del hombre.

Comentario

La intención pura y los pensamientos nobles son sumamente importantes, así como el anhelo de rectificar y proseguir por la senda de la armonía. Puedes aparentar una personalidad pacífica e imitar un carácter noble y sosegado, pero si interiormente estás saturado de reacciones de hostilidad, intransigencia, intenciones y pensamientos insanos, te conviertes en una fruta de preciosa apariencia pero podrida por dentro. Hay en todos los humanos una tendencia a juzgar implacablemente a los otros y, empero, a resultar a menudo excesivamente indulgentes con nuestras cualidades negativas, que enmascaramos y escondemos hasta autoengañarnos, para seguir siendo críticos con los demás pero no con nosotros mismos. Todos tendemos, también, a librar batallas ajenas y a no librar la propia y, por supuesto, a descubrir defectos en los demás y a ocultárnoslos a nosotros mismos. Nos empeñamos en imponer nuestros modelos, clichés y esquemas a los demás, y les juzgamos y censuramos de acuerdo a ellos, sin saber mirar en lo profundo del corazón de los otros y sin ser clementes con ellos, comprendiendo que a menudo no necesitan nuestros reproches, sino nuestra ayuda, aliento e incluso consuelo.

En el fondo de muchos seres humanos palpita un inquisidor que sería capaz de desencadenar persecuciones para imponer sus criterios. Pero cuando se va trabajando para la realización de uno mismo, surge un tipo de comprensión clara que sabe más conciliar que rechazar, asumir que reprochar, perdonar que hacer cargos y echar en cara.

Una nueva oportunidad

Era un tendero, como lo fuera su padre y también su abuelo. Tenía buenas costumbres y todos los días decía sus plegarias y hacía sus rituales, pero cada vez que vendía sus productos, inclinaba un poco la balanza a su favor, como lo hiciera su padre, como también su abuelo. Y un día le llegó la muerte, como le llegara a su padre, como también a su abuelo. Entonces el Señor del Destino le dijo:

—Tienes dos posibilidades: o te vas al reino de las tinieblas, o vuelves a la vida y equilibras la balanza.

—¿Qué quieres decir con equilibrar la balanza?

—Te daré una nueva oportunidad, pero no me falles. Igual que durante años inclinaste la balanza hacia ti, tendrás durante años que inclinarla hacia tus clientes. En este universo todo tiende a equilibrarse, y ni tú ni ningún humano tenéis derecho a desequilibrar la balanza. Así que, amigo mío, pasarás tu siguiente vida equilibrando la balanza. La inclinaste hacia un lado; ahora inclínala hacia el otro. Así debe ser recobrada. Y no trates de engañar otra vez al Señor del Destino.

Comentario

Si te extremas hacia un lado, corrige; si te extremas hacia el otro, rectifica. Todo en la naturaleza sigue sus ciclos y su curso, equilibrándose, y los opuestos se complementan. Hay una tendencia al desequilibrio en la actividad y una tendencia al desequilibrio en la pasividad, pero la naturaleza es tan sabia que reconcilia las cualidades opuestas y complementa espontáneamente los opuestos, y así a la noche sigue el día y a una estación la otra y a la expansión del universo, su disolución; pero el ser humano no sabe hallar el eje, el punto de equilibrio, el ángulo de pureza o armonía que insume a la vez la acción y la pasividad. El ser humano tiende a desequilibrar y desequilibrarse, y por ello es necesario que siga una vía para conciliar los opuestos, nivelar, lograr el balance fecundo y situarse en el eje del equilibrio.

Las potencias deben ser armoniosamente combinadas para que no haya tensión, conflicto, fricción. En el ámbito de la búsqueda espiritual a través del arte del noble vivir, la persona tiene que ir aprendiendo a cultivar una actitud interior calma, aun en las dualidades, y cuando se decanta extremadamente hacia un extremo, saber corregir y nivelar. Para ello, y evitando verse así arrastrada por sus cambiantes estados de ánimo y las influencias del exterior, debe aprender a ubicarse en un espacio interior de consciencia clara, inafectada y alerta, capaz de desvincularse tanto de los procesos psicosomáticos como de las influencias externas. En ese espacio de ser inafectado y consciente, hay una vibración de gran pureza que concilia los contrarios o pares de opuestos, incluso la esencia y la personalidad, el ego y el ser, lo externo y lo interno, lo fenoménico y lo trascendental. Las leyes de la naturaleza tienden a armonizar las dualidades, de una manera natural, pero el ser humano tiene que empeñarse conscientemente en ello para no dejarse arrastrar por la dinámica de lo extremado.

Hay un «lugar» en la consciencia y en la raíz del pensamiento donde uno puede aprender a afincarse y establecerse, estar a buen resguardo de las «inclemencias» del exterior o de los propios contenidos anímicos.

La senda

El discípulo le preguntó al maestro:
—Maestro, ¿dónde está la senda hacia la paz interior?
—Justo delante de ti.
—Y en ese caso, ¿por qué no puedo verla?
—Porque sólo te ves a ti mismo.

Comentario

Nada limita tanto la visión y distorsiona tanto el discernimiento como el egoísmo. Hay muchas clases y grados de egoísmo. El egoísmo mezquino es uno de los peores, porque al menos el egoísta inteligente comparte y da para recibir. La obsesión por uno mismo frustra la visión de los demás y por tanto no deja ver las necesidades ajenas. No hay posibilidad de ver, ni seguir la senda hacia la paz interior. El ego puede estar controlado o sobredimensionarse, y la persona puede ser más desprendida y generosa, y más sensible hacia las necesidades ajenas, o más egocéntrica y codiciosa. El ego es un caballo de batalla para toda persona que quiera elevar su consciencia y desplegar sus emociones positivas. El ego inmaduro y sobredimensionado conduce al narcisismo, y el narcisista sólo tiene ojos para sí mismo; pero la autoimportancia crea muchas heridas, y no las hay peores que las del ego, ni más profundas ni más dolorosas.

El ego es provisional, hay que saber utilizarlo y evitar que él nos utilice, acapare y domine. El ego, con energía voraz, liga y vincula mórbidamente a todo, encadena y somete a una identificación ciega y aferradora. Es un fantasma difícil de poner al descubierto. Cuando se intensifica, se aísla en una torre de marfil y provoca en muchas personas la autodefensa narcisista, que anestesia afectivamente, encierra y enquista. El ego impide la preciosa percepción de que formamos parte de una realidad infinitamente más amplia; no genera independencia, sino aislacionismo; hace a la persona enfermizamente personalista, posesiva, vanidosa y obsesionada en sí misma. Para el narcisista los demás no existen más que como «piezas» útiles. El egoísmo puede llegar a ser tan cerebral, que la persona no tiene la menor sensibilidad con respecto a las inquietudes de las otras criaturas y sólo trata de satisfacer, cueste lo que cueste, sus propias tendencias egoístas. El egoísmo frena todo ulterior desarrollo y la persona se estanca en su propio narcisismo.

A mayor ego, mayor apego y mayor aversión, mayor aferramiento y mayor ira. Cuando la persona egoísta se siente contrariada, brota en ella la cólera, como si considerase que todo debe estar especialmente dispuesto para complacerla, ya que tan importante se considera. El ego es un obstáculo que impide la apertura amorosa. El Brihadaranyaka-Upanishad dice: «Uno debe considerarse como si fuera el mundo. Quien se contemple como el mundo nunca agotará su labor». Y no hay labor más hermosa que no sólo ocuparse de sí mismo, sino también de los otros, y saberse parte de la totalidad aunque aparentemente se esté diferenciado de ella, pues las olas forman parte del océano, pero gracias a ellas el océano es más hermoso todavía.

La insuficiencia del razonamiento

Era un aspirante muy pretencioso y petulante, convencido de que todo podía someterlo al escrutinio de su frío razonamiento. Un día le dijo el maestro:

—Asesinas la frescura de la vida con esa actitud. No se trata de brillar sólo con la mente, sino también con el corazón. No hay brillo más puro que el del corazón.

Pero el discípulo no aprendía la lección. Se empeñaba, con sus elaboraciones racionales, en humillar dialécticamente a sus compañeros. Un día, cuando estaban todos reunidos con el maestro, le preguntó para ponerle en un aprieto y engordar su ego:

—Venerable maestro, tú que tanto has llegado a percibir, ¿puedes decirnos quién vela por los infinitos universos?

—¡Oh, qué pregunta tan fácil! —exclamó el maestro, descubriendo al punto las intenciones de su discípulo—. Velan por ellos dos intrépidos leopardos blancos.

Esperando una respuesta de orden metafísico, durante unos instantes el discípulo arrogante se quedó consternado, pero luego reaccionó y preguntó:

—¿Y quién vela por esos intrépidos leopardos blancos?

—¡Oh! —repuso el maestro—. Esa pregunta es todavía más fácil: Dios es quien vela por los leopardos blancos.

Y el discípulo inquirió:

—¿Y quién vela por Dios?

Se hizo un gran silencio. El malintencionado discípulo pensó: «Está cazado». El maestro, sonriente, repuso:

—Pero ésa es, querido mío, la pregunta más fácil. Suponía que con tu sagacidad lógica harías una pregunta más difícil. ¿Quién va a velar por Dios? ¿De verdad que no lo sabes? Es tan sencillo: por Dios velan los dos intrépidos leopardos blancos.

Comentario

Las preguntas sobre preguntas son como el intento de «lavar manchas con manchas», y conducen a un sentimiento de absurdidad que genera mucha incertidumbre y angustia existencial, e introduce al intelecto en un callejón sin salida. Aunque sean preguntas que todo buscador se hace y que toda persona con inquietudes se plantea, hay que llegar al entendimiento de que el intelecto nos puede conducir un trecho, pero no más allá, y de que la comprensión intelectual es un buen punto de partida para poder desplazarse hacia otro tipo de comprensión más profunda y vivencial, que viene dada por la práctica de la meditación y por el cultivo de actitudes que nos permitan seguir la senda del autoconocimiento.

Ciertamente el entendimiento intelectual claro jamás debe ser infravalorado, porque la enseñanza siempre debe ser reflexionada, sometida al escrutinio del pensamiento correcto, y nada debe ser asumido si no entendemos que puede sernos de provecho para desplegar el arte del noble vivir. Hay pues un tiempo para las preguntas y un tiempo para dejar las preguntas de lado y emprender la práctica. La práctica irá dando respuesta, sin conceptos, a muchas preguntas conceptuales que nos hacíamos. La enseñanza se irá apuntalando mediante la disciplina ética, la disciplina mental y la disciplina para el desarrollo de la sabiduría.

Mediante el propio esfuerzo tenemos que ir hollando el camino hacia la libertad interior, superar muchos impedimentos que también están dentro de nosotros, y tendencias nocivas y limitadoras que hay que ir desenraizando para superar la ofuscación, la agitación y el desconsuelo.

Habrá que poner mayor énfasis en lo espiritualmente provechoso para nosotros mismos y para los demás, y evitar siempre que sea posible lo perjudicial. Hay que purificar el comportamiento para evitar hacernos daño o infringírselo a las otras criaturas. Esa senda de autoconocimiento y autodesarrollo no se recorre haciéndonos todo tipo de preguntas improcedentes o formulándoselas a los demás, porque es como estar preguntándose constantemente de qué se compone un alimento sin decidirse a tomarlo. No hay que extraviarse en preguntas nacidas del ego y que terminan por empantanarnos, sino que hay que desplegar una práctica asidua que vaya modificando los modelos mentales y que, por tanto, nos permita purificar la palabra y los actos, superar muchas tribulaciones y mejorar las relaciones humanas. Se requiere no poca energía y motivación, pero si se practica, acudirán en nuestro auxilio los factores de iluminación y fortalecerán nuestra mente y nuestro ánimo. En la medida en que la mente se va librando de muchas de sus aflicciones y trabas, se renueva nuestro ánimo y se hace más fácil y espontánea la práctica asidua. Después de recibir intelectualmente la enseñanza, todo aquello que comprendamos es provechoso para la misma, y hay que cultivarlo y ejercitarlo con constancia.

Será para bien

El primer ministro del monarca era un hombre de gran lucidez y ecuanimidad. A menudo el ministro decía: «Será para bien». Pero he aquí que un día el rey estaba utilizando un cuchillo y se rebanó un dedo por completo. El primer ministro dijo: «Será para bien». El monarca montó en cólera. ¿Cómo iba a ser para bien haber perdido un dedo? Indignado, el monarca ordenó que encarcelaran al primer ministro, que dijo: «Será para bien».

Días después el reino fue conquistado por un reino vecino. El monarca del reino invasor ordenó a los sacerdotes que sacrificasen al monarca para ofrendarlo a los dioses. Iban a sacrificarlo, cuando descubrieron que le faltaba un dedo, por lo que tuvieron que desistir del ritual, toda vez que no se puede sacrificar a los dioses un cuerpo imperfecto. Entonces el monarca vencedor dijo:

—En tal caso, sacerdotes, sacrificad al primer ministro.

Pero el primer ministro estaba en prisión y nadie logró dar con su paradero. Pasadas unas semanas, fuerzas leales al monarca destronado reconquistaron el reino y el rey se dio cuenta de que su primer ministro había tenido razón. El rey llamó al hombre y le abrazó, diciéndole:

—Perdóname. Quiero que de nuevo detentes tu cargo.

Pero el primer ministro replicó:

—Perdóname, pero todo es tan inestable y transitorio que he

decidido dedicar el resto de mi vida a la práctica de la meditación y la búsqueda de una realidad superior.

El monarca contestó:

—Será para bien.

Y el primer ministro dijo:

—Has aprendido la lección, señor. Enhorabuena.

Comentario

En el instante no es posible disponer de una visión totalizadora del devenir de los acontecimientos, ni una amplia y lúcida perspectiva de los eventos que se van configurando; desconocemos las condiciones y cómo ir de las causas a los efectos. Lo que en un momento dado nos puede resultar aparentemente muy favorable, luego se puede volver muy desfavorable; aquello que parecía lo mejor que podía haber ocurrido, luego puede ser un hecho que desencadene fatales consecuencias; o viceversa, lo que en principio nos parecía muy adverso, puede terminar por ser muy provechoso. La vida gira sin cesar y los fenómenos se suceden como la carreta sigue inexorablemente a la pezuña del buey, sin poder determinar con exactitud en el preciso momento si nos resultarán favorables o desfavorables, puesto que todo va mudando y lo grato no es necesariamente lo que nos va a ayudar, ni lo ingrato a desayudar.

Para poder mantener un punto de equilibrio ante las situaciones cambiantes y que nos ofrecen tantos rostros bien distintos, desde los más plácidos a los más amargos, es necesario adiestrarse asiduamente en una actitud de inquebrantable ecuanimidad, que nos permita mantener la mente más firme y equilibrada ante los acontecimientos y vicisitudes, sin dejarnos arrastrar tanto por el apego o por la aversión, y por tanto por la exaltación y la depresión. Como todo finalmente se percibe y vive con ese órgano de percepción y cognición que es la mente, dependiendo del estado de ésta, así también sabrán confrontarse las contrariedades y eventos vitales. Por esta razón los sabios de la India siempre han valorado extraordinariamente el sometimiento de la mente, hasta tal punto que el yoga Vasishtha declara: «No considero un héroe al que es capaz de enfrentarse a un poderoso ejército y vencerlo, sino al que es capaz de cruzar indemne el océano de la mente y los sentidos». Y en la medida en que con el adiestramiento adecuado se va dominando la mente, la persona aprende a no reaccionar tan desmesuradamente a las circunstancias y a tener una visión más diáfana con respecto a las mismas, desarrollando paciencia, equilibrio, armonía y la visión unificadora y conciliadora de los contrarios o pares de opuestos (calor-frío, amargo-dulce) que están inmersos en todo lo fenoménico.

Vicisitudes

Era un gran yogui y había ganado celebridad por su sosiego inmutable. El mismo rey oyó hablar de él, sintió curiosidad por ese personaje y le hizo llamar.

—¿Cómo has llegado a ser un yogui imperturbado? —preguntó el monarca—. Quiero saber de ti.

—Sólo mediante la práctica de la meditación he llegado a este estado de quietud inmensurable; pero mi vida ha sido azarosa hasta llegar a dicho momento.

—Cuéntame —ordenó el monarca.

—Hace mucho tiempo, señor, era un mercader extraordinariamente acaudalado. Mi fortuna era inmensa y contaba con legión de criados, las mujeres más hermosas y cuatro grandes mansiones para habitar en cada una de ellas cada estación del año. Desde la infancia tenía un amigo que era más que un hermano, pero también un feroz enemigo, pues desde antaño los clanes de cada uno se habían odiado y mantenido una enconada enemistad. Y yo sabía que de haber ocasión mi enemigo me mataría... Eso pensaba día tras día. Y, como la peor plaga, llegó la guerra y los hombres comenzaron a matar a otros hombres. Pero yo confiaba en mi amigo que, sin embargo, maquinó contra mí y, para hacerse con toda mi fortuna, me traicionó y me entregó al enemigo. Estuve en manos de los más perversos y hábiles torturadores, en prisión durante meses, mientras mi amigo se había hecho con toda mi fortuna, así como con mis concubinas y mis innumerables criados y propiedades. Envejecí en meses como lo hubiera hecho en diez años. Un anochecer, mis carceleros me comunicaron que al día siguiente sería ejecutado. Al amanecer, me situaron frente a un pelotón de fusilamiento. Quien les capitaneaba no era otro que mi inexorable enemigo, y he aquí, majestad, que por esos insondables designios del destino, ahora se le presentaba la ocasión de darme muerte y proseguir con las inmemoriales venganzas entre clanes. Pero el hombre contempló con asombro y piedad mi calamitoso estado; su corazón se ablandó y, cuando iban a ejecutarme, suspendió la orden de ejecución. Mi peor enemigo me había salvado la vida, aquella que había vendido mi mejor amigo. No pude hacer otra cosa que correr hacia él y abrazarle entre sollozos. También él me abrazó. Los rencores quedaron atrás para siempre. Dos hombres se hablaban de corazón a corazón. La luz del amor había disipado la tenebrosa oscuridad del odio.

Se hizo una pausa de silencio, y el yogui agregó:

—Mi amigo de la infancia incrementó en mucho su fortuna y consiguió contar con la mejor cuadra de elefantes del reino, con lo cual se ganó el rencor de los oligarcas. Emborracharon a sus elefantes y, ebrios y furiosos, le pisotearon, destrozaron su cuerpo y le quitaron la vida. Mi enemigo cayó en manos de sus adversarios, lo sometieron a tortura y quemaron sus ojos hasta dejarle ciego.

El monarca, estremecido, preguntó:

—¿Y qué ha sido de él?

—Yo le cuido —dijo el yogui—; yo soy sus ojos. Vivimos en el bosque apaciblemente y el primero que muera incinerará el cadáver del otro, porque tal es nuestro acuerdo.

Los ojos del monarca se llenaron de lágrimas. El yogui hizo una inclinación y se alejó, mientras el monarca pensaba: «Ni siquiera un rey está seguro».

271

La vida es como una serpiente que lenta e inexorablemente se va deslizando hacia su meta. Su serpenteante senda es imprevisible. En realidad es inasible; se escapa, se escurre, se va consumiendo lenta pero implacablemente como la cera de una candela, y de repente llega su final. Pero la vida puede vivirse más consciente, lúcida y compasivamente, y con una diferente calidad y cualidad de consciencia, que la haga más «vital» y que reporte un conocimiento a través de la experiencia que desemboque en la comprensión profunda y clara, inspiradora y a la vez reveladora, y en cualquier caso portadora de un sentimiento de sosiego. A lo largo de la vida hay situaciones confortadoras y situaciones desgarradoras, circunstancias favorables y desfavorables, eventos rutinarios y extraordinarios; momentos huidizos de alegría y de dolor, de placer y de displacer, y todo ello sometido a condiciones, causas, avatares y «leyes» se nos ocultan, se nos escapan, no nos dejan ver sus cambiantes rostros. Todo va discurriendo, e incluso lo que a veces nos favorece otras nos desfavorece y viceversa. La vida es irreductible a la lógica, el razonamiento, el cálculo. Perseguimos el placer, a veces compulsiva y desesperadamente, mientras huimos espantados del dolor, al que nunca podremos burlar. Las personas entran y salen del cauce de nuestras vidas y nosotros del cauce de las suyas. Se producen encuentros y desencuentros; amores y desamores; dichas y desdichas. Pero la vida fluye al margen de nuestras ideas, expectativas y exigencias. No se detiene. Nos produce certidumbres y desengaños, bienestar y malestar y a veces, incluso simultáneamente, contento y pena. Nos afanamos, nos debatimos, nos tensamos, nos agitamos y con frecuencia estamos descontentos, insatisfechos y nos sentimos frustrados, desencantados, abatidos. Si todo fluctúa fuera de nosotros, lo mismo, con mayor celeridad, sucede en nosotros mismos. Somos un río de ideas, pensamientos, sentimientos y pasiones. Pasamos del aburrimiento a la diversión y llenamos nuestras vidas de propósitos incumplidos, de proyectos que se quedan a medio camino, de apegos y aversiones. A menudo nos obsesionamos con boberías y mezquindades y nos dejamos arrastrar por naderías o preocupar por banalidades. Nos asaltan estados de ánimo de gran inseguridad, miedo, amargura, y las emociones negativas —como celos, envidia, odio, avidez y tantas otras— nos toman, identifican y esclavizan. Tenemos poca, muy poca paz interior, por no decir ninguna. Nos dejamos confundir por los difusos e innumerables rostros del placer y del dolor, y así aún nos atribulamos más. Para defendernos de nuestra propia incertidumbre e inseguridad, nos tornamos posesivos, acaparadores, violentos, insensibles, extremadamente codiciosos.

Queremos controlarlo todo —a las otras personas, incluso a las que más decimos amar— y no tenemos dominio sobre nosotros mismos. Nos debatimos entre el gusto y el disgusto, y el enfado ocupa un gran espacio en nuestras vidas y en nuestras mentes: nos airamos, enrabiamos, encolerizamos, irritamos y tenemos un carácter agrio y un humor desagradable. La vida va discurriendo; sumamos años, pero no sabiduría. Los decorados se suceden, pero seguimos siendo los mismos, porque la experiencia no nos cambia si no la utilizamos consciente y sabiamente. Los fenómenos surgen y se desvanecen, pero nos proponemos agarrar, aferrar, retener, poniendo toda nuestra energía en ese afán de poseer, y no guardando parte de ella para mejorarnos interiormente, conocernos y emprender la realización de uno mismo. Hay acontecimientos que celebrar y hay calamidades. Pero a menudo no aprendemos de la prodigiosa dinámica de la vida, porque seguimos prendidos en nuestros modelos, esquemas, anhelos compulsivos, ceguera espiritual y condicionamientos psíquicos que empañan la visión.

Con negligencia no ponemos los medios para crecer interiormente y desarrollar compasión, ternura, benevolencia, sana afectividad, apertura amorosa. Crece la insatisfacción, se abre un abismo en nuestro interior. Surgen sentimientos de absurdidad, insatisfacción, desvelo y aflicción. Si podemos conseguir una buena posición social y algunos medios materiales, nos damos cuenta, si somos un poco inteligentes y sensibles, de que no cambia nuestra situación interior, de que seguimos de espaldas a nosotros mismos y está ausente el equilibrio y el sosiego. El apego arde como un fuego continuado y no lo apaciguamos. Apego lleva a mayor apego y la codicia origina disputas, guerras, catástrofes, desigualdades e injusticias sin límite. La mente del ser humano es como un ciclón puesto en continuo movimiento y que tiene una gran capacidad para arrasar y destruir. Pasan millones de años y la mente del ser humano no se modifica. Vienen los grandes maestros, nos entregan sus enseñanzas, y el ser humano sigue siendo un sonámbulo psíquico, una máquina. Pero urge modificarse y mejorarse; urge cambiar las actitudes y el proceder; urge que cada persona se convierta en su propio refugio, trabaje sobre sí misma, encuentre sus tesoros internos y los comparta con los demás.

De la vida puede hacerse un espectáculo muy feo, incluso atroz; o puede aprovecharse para estimarse a uno mismo y a los demás, protegerse protegiendo a los otros, estimular los más bellos sentimientos y las más laudables emociones, esclarecer la mente y enternecer el corazón, realmente humanizarse, y pasar por la vida con un sentimiento constructivo, cooperante, creativo y amoroso. Como reza un antiguo adagio: «Si se quiere, no es un sueño». Si se quiere, se puede mejorar la calidad de vida interior y esmaltar el espíritu de quietud, armonía y plenitud. Si se quiere, la vida puede convertirse en un prodigioso aprendizaje y, sobre todo, en un arte del noble vivir, evitando dañar a criatura alguna, evitando herirse, comprendiendo que no hay muchas familias, sino una gran familia de seres sensibles con sus alegrías y tristezas, desde una liebre a un elefante, desde un cervatillo a un ser humano.

Si se quiere, la codicia puede frenarse, el odio puede transformarse y la ofuscación puede disiparse. Si se quiere y se sigue un aprendizaje motivado y perseverante, la mente puede ofrecer entendimiento claro y no confusión, y así como de la confusión sólo surge posterior confusión, del verdadero entendimiento claro brota la sabiduría y la compasión infinita. Lo que se necesita es verdadera compasión infinita; lo único que puede cambiar la terrible andadura de los llamados seres humanos es la compasión infinita; la única enseñanza que nunca debe ser ignorada es la de la compasión infinita. Cuando en el ser humano despierte la compasión infinita y tenga plena consciencia de que al herir a las demás criaturas o a la madre tierra se está hiriendo uno mismo, entonces se empezará a ser realmente un ser humano y se dejará de ser tan sólo un proyecto.

Para ponerse en contacto con el autor, puede dirigirse
a su centro de yoga en la
calle Ayala, 10, de Madrid,
al teléfono 91 435 23 28
o a la página web www.ramirocalle.com

Índice